MISIÓN BÍBLICA JUVENIL

LA PALABRA SE HACE JOVEN CON LOS JÓVENES

Manual
para el
Equipo de Jóvenes Misioneros

www.MisionBiblicaJuvenil.org

Publicaciones para implementar la Misión

I. Manual para el Equipo Central

II. Manual para el Equipo de Jóvenes Misioneros

III. Cuaderno de la Misión

IV. Diario de la Misión

Dirección del proyecto

Instituto Fe y Vida

Equipo editorial

**Coordinadora del proyecto
y escritora principal**
Amparo Leyman Pino

Asesores
Eduardo Arnouil
María Pilar Cervantes
Ken Johnson-Mondragón
Dennis Kurtz
Leticia Medina
Walter F. Mena
Leonardo Monguí Casas

Directora y editora general
Carmen María Cervantes

Corrección de estilo
Aurora Macías-Dewhirst

Diseño e ilustraciones

OCUS Comunicación Visual
Martha Elena Sánchez
Aranza Ruiz

Fotografías de las cruces atriales
Jaime Lara

Fotocomposición

Amparo Leyman Pino

Instituciones socias

Catholic.net, México
Consejo Episcopal Latinoamericano (CELAM)
Editorial Verbo Divino, España
Producciones Dynamis, México
Saint Mary's Press
United States Conference of Catholic Bishops
(USCCB), Estados Unidos

Apoyo financiero

Fundación anónima, Latinoamérica
Fundación anónima, Norteamérica
Benefactores del Instituto Fe y Vida,
en Estados Unidos y México
Congregation of the Mission, The Vincentians
De La Salle Christian Brothers:
Provincias de California y del Oeste Medio
Donald D. Lynch Family Foundation
Fund for Pilgrims and Prophets, Carmelite Friars
Fundación SERTULL, México
Fundación Verbo Divino, España
In memóriam del Rancho el Chilar de San José,
México
Koch Foundation
National Youth Foundation
Our Lady of the Assumption Church,
Diócesis de Stockton
Raskob Foundation for Catholic Activities
Saint Anthony of Padua Church,
Diócesis de Stockton
Saint Jude Shrine, Diócesis de San Diego
Saint Mary's Press
Sisters of Providence, Estado de Washington
Sisters of Saint Joseph of Orange

*Nota: La mayoría de los donadores es de Estados
Unidos; cuando pertenece a otros países se indica.*

ÍNDICE

PARTE 3: LA MISIÓN EN ACCIÓN

Carta a los Equipos de Jóvenes Misioneros,

Escuchen con atención las palabras del Señor que los invita a la Misión: *"Vayan por todo el mundo y proclamen la buena noticia a toda criatura"* (Mc 16, 15). Jesús les ha confiado una de las tareas más nobles de la Iglesia: ser portavoces de su mensaje de amor liberador y testigos de la conversión de aquéllos que la escuchan.

Ustedes han sido elegidos para compartir con otros jóvenes su experiencia de fe y su amistad con Jesús. Confíen en que el Espíritu Santo descenderá sobre ustedes, los iluminará y les dará la fuerza para llevar a cabo su labor.

Mediten a profundidad sobre la Palabra de Dios. Oren con todo su corazón, todas sus fuerzas y toda su inteligencia; pidan al Señor los dones que les hagan falta y que fortalezca los que les ha dado a manos llenas. Prepárense espiritual e intelectualmente para cada actividad, estudien a detalle cada sesión, despejen sus dudas, comuníquense con sus compañeros y tengan listos los materiales necesarios.

Vivan con intensidad la Misión, tanto al experimentarla como al facilitarla para otros jóvenes. Acojan con amor el mensaje de Jesús y déjense transformar una y otra vez por su Palabra.

Jesús desea que su Palabra se haga joven con ustedes, de modo que los impulse siempre a actuar en su nombre, para beneficio de los demás. Sumen su alegría, su entusiasmo y compromiso al *estado de misión* en el que se encuentra la Iglesia.

Descubran en la Iglesia un lugar para ser, hacer, decir y vivir al estilo de Jesús. Atrévanse a caminar a su lado y conocerán en carne propia el amor, la paz y la alegría de quien es profeta de esperanza ante quienes consciente o inconscientemente buscan al Señor de la vida.

Que María los acompañe en su jornada,

Equipo Bíblico del Instituto Fe y Vida

Oración por la Misión
"La Palabra se hace joven con los jóvenes"

Jesús, amigo, profeta y maestro nuestro:
¡Qué grandeza la tuya de querer
que tu Palabra se haga joven con los jóvenes!

Tú eres el camino, la verdad y la vida.

Eres el *camino* que guía nuestros pasos,
para llevar la Buena Nueva a quien anhela el amor del Padre.

Eres la *verdad* que nutre nuestro espíritu,
al hacer presente la buena noticia de tu Reino.

Eres la *vida* que transforma la nuestra,
al encarnar tu amor a través de tu Palabra.

Jesús, amigo, profeta y maestro nuestro:
¡Qué grandeza la tuya de querer
que tu Palabra se haga joven con los jóvenes!

Te pedimos de corazón por el éxito de esta Misión.

Ponemos ante ti, de manera especial,
a todos los jóvenes misioneros
y a quienes participarán en las sesiones bíblicas,
para que tu Palabra anide en sus corazones.

Ilumínalos, llénalos y fortalécelos con tu Espíritu,
para que, acompañados de María,
sean todos profetas tuyos aquí y ahora,
y así tu Palabra se haga joven con los jóvenes. Amén.

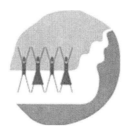

PRÓLOGO

La Misión Bíblica Juvenil,
"La Palabra se hace joven con los jóvenes",
es una acción misionera de la Iglesia católica,
que conlleva un esfuerzo evangelizador y formador
de su liderazgo joven.

Se realiza en el espíritu de Jesús,
quien tuvo la misión de anunciar la Buena Nueva
de la llegada del reino de Dios a la humanidad.
Esta misión fue asumida por sus discípulos
y, con la misma fuerza de ayer, hoy y siempre,
Jesús invita a todos los bautizados
a llevarlo a él y su Palabra de vida
hasta los confines de la tierra.

Descubrir y responder a la vocación misionera personal
es fruto del crecimiento y madurez
como seguidores de Jesús.
Si se acepta seguirlo,
la vida se hace diálogo y comunión con él,
y participación consciente en su obra salvadora.
La Misión Bíblica Juvenil lleva a los jóvenes
a encontrarse con Jesús, conocerlo
y aceptar su invitación a amar y servir a los demás
anunciando con hechos y palabras
"lo que hemos oído, lo que hemos visto" (1 Jn 1, 1).

Archdiocese of San Antonio

P.O. Box 28410 • San Antonio, Texas 78228-0410
Phone (210) 734-2620
Fax (210) 734-0708

Office of the Archbishop

Octubre 12, 2009

Queridos jóvenes y asesores juveniles,

Con gran esperanza escribo estas líneas para animarlos a participar en esta Misión Bíblica Juvenil, a través de la cual "La Palabra se hace joven con los jóvenes". La Palabra de Dios ha sido, es y será siempre fuente de vida verdadera para toda persona que la reciba con el corazón abierto.

La base sobre la cual construimos nuestra vida cristiana debe ser nuestro encuentro personal con el Señor Jesús, que es la Palabra, el Verbo hecho carne que habitó entre nosotros. A través de las Sagradas Escrituras, lo conocemos cada vez más profundamente, y así, podemos amarlo más y entregarle nuestra vida.

Los Apóstoles vieron sus vidas transformadas después de su encuentro personal con Cristo: empezaron a vivir según sus enseñanzas, teniendo a Jesús como fundamento y fin de todo lo que hacían. El Señor Jesús se transformó en el centro de su vida, y la Palabra en la fuente que nutrió su ministerio y los impulsó a anunciarlo a todo el mundo.

Espero que cada uno de ustedes pueda experimentar algo similar. El Señor Jesús quiere encontrarse con la juventud de hoy, haciéndose presente entre ellos a través del testimonio de jóvenes misioneros que viven según su Palabra y la comparten en comunidad.

Si eres un joven que se sabe amado por Jesús, lo conoces bastante bien y lo consideras tu amigo, estás invitado a ser miembro de un equipo de jóvenes misioneros. Si estás pasando por un momento de tu vida en que te hace falta el amor o la esperanza, o te sientes triste y desalentado, Jesús te invita a participar en esta Misión. Él quiere acercarse a ti, quiere que lo conozcas mejor, que te encuentres con el gran amor que te tiene, y que lo descubras como reconciliador y dador de vida nueva.

Y a ti, querido sacerdote, ordenado para ser buen pastor entre la juventud; querido asesor de jóvenes; maestro de religión en las escuelas; catequista en las parroquias; padre o madre de familia... Jesús te invita a que organices esta misión. ¡Hay tantos jóvenes sedientos de Dios! ¡No dejes pasar esta gran oportunidad! Es urgente que "La Palabra se haga joven con los jóvenes" y tú puedes ser uno de los apóstoles que ayudarán a formar misioneros jóvenes en nuestra Iglesia de hoy.

Ofrezco mis oraciones por todos ustedes, y me despido en Cristo, profeta de esperanza entre la juventud,

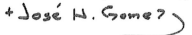

Mons. José H. Gomez, S.T.D.
Arzobispo de San Antonio, Texas
Presidente del Secretariado de Diversidad Cultural en la Iglesia, USCCB
Moderador de la National Catholic Network de Pastoral Juvenil Hispana

CONSEJO EPISCOPAL LATINOAMERICANO
DEPARTAMENTO DE FAMILIA Y VIDA
SECCIÓN JUVENTUD

Bogotá, D.C., enero 6 de 2.010

Queridos jóvenes, queridas jóvenes,

Jesús tiene un mensaje de vida para ustedes. Él es el gran amigo que nunca nos falla, el que tiene palabras de vida nueva y está a nuestro lado, siempre que lo aceptamos en nuestra vida. Basta con que cada uno de ustedes esté dispuesto a encontrarse con él y escuchar su mensaje, para que su vida adquiera nueva energía y sentido, en medio de los múltiples problemas que enfrentamos hoy día.

Los Obispos latinoamericanos reunidos en Aparecida, Brasil, nos convocan a convertirnos en auténticos discípulos y misioneros del Señor de la Vida y a realizar una Gran Misión Continental donde llevemos esa Buena Noticia a todo nuestro continente.

Por eso es un gozo presentarles la Misión Bíblica Juvenil, "La Palabra se hace joven con los jóvenes". Es un gran regalo de Dios para la juventud y fuente de mucha esperanza, gracias a miles de jóvenes misioneros que se pondrán en acción, en nuestro Continente Americano.

Para aquéllos que sufren, están desorientados, se sienten solos, están hartos de la vida... Jesús les tiene un regalo de amor y esperanza. Es un regalo que se derrama sobre ustedes, una bendición que les sellará para siempre. Esta Misión es una oportunidad para crecer en la fe, conocer mejor a Jesús y encontrar amigos que los acompañen en la jornada de la vida. Créanme, es un privilegio ser el destinatario de tan magnífico obsequio. ¡Vengan a recibir el regalo de Jesús!

Para aquéllos que sienten arder en su corazón el deseo de ser una luz y un apoyo para sus compañeros menos afortunados, les regala la oportunidad de hacerlo a través de esta Misión. Jesús está llamando a todos los jóvenes que sienten la urgencia de ser discípulos y profetas del Reino, a que continúen su misión salvadora en el momento actual de la historia. Con Jesús, pueden ayudar a crear un mundo mejor. ¡Vengan! ¡Pónganse en acción!

Vengan con todos sus anhelos, con la esperanza de que Jesús saldrá a su encuentro, y al igual que a los discípulos que caminaban hacia Emaús, él les explicará las Escrituras y revelará su mensaje de salvación. Caminen al lado del Maestro, él es el camino, la verdad y la vida.

Reciban con esta carta un afectuoso saludo y mi bendición,

Mons. Mariano José Parra Sandoval
Obispo de Ciudad Guayana, Venezuela
Obispo Responsable, Sección Juventud del CELAM.

Carrera 5a. Nº 118-31 (Usaquén) - Tel: (57 1) 587 9710 - Fax: 587 9717 - Apartado Aéreo 51086 - Bogotá, D.C - Colombia
E-MAIL: familiayvida@celam.org // familiayvida@yahoo.es

Los obispos latinoamericanos, en su V Conferencia General, en Aparecida, motivan a los agentes de pastoral, catequistas y asesores de jóvenes, al afirmar los múltiples dones que Dios ha dado a la juventud para el bien de ellos, la iglesia y la sociedad:

Los jóvenes y adolescentes [...] no temen el sacrificio ni la entrega de la propia vida, pero sí una vida sin sentido. Por su generosidad, están llamados a servir a sus hermanos, especialmente a los más necesitados con su tiempo y con su vida. Tienen capacidad para oponerse a las falsas ilusiones de felicidad y a los paraísos engañosos de la droga, el placer, el alcohol y todas las formas de violencia. En su búsqueda del sentido de la vida, son capaces y sensibles para describir el llamado particular que el Señor Jesús les hace. Como discípulos misioneros, las nuevas generaciones están llamadas a transmitir a sus hermanos jóvenes, sin distinción alguna, la corriente de vida que viene de Cristo y a compartirla en comunidad, construyendo la Iglesia y la sociedad.[1]

INTRODUCCIÓN

El mandato misionero del Señor tiene su fuente última en el amor eterno de la Santísima Trinidad: "La Iglesia peregrinante es, por su propia naturaleza, misionera, puesto que tiene su origen en la misión del Hijo y la misión del Espíritu Santo, según el plan de Dios Padre".

—*Concilio Vaticano II,* Ad gentes

La misión esencial y primordial de la Iglesia es evangelizar; dar a conocer a Jesús, su vida y su mensaje, en todo tiempo y lugar. Es ofrecer la oportunidad de adquirir la vida nueva que nos regala Jesús, al encarnarse en sus seguidores y en la comunidad eclesial, a través de su Espíritu.

En esta Misión Bíblica Juvenil, los jóvenes se reúnen en torno a la Palabra de Dios revelada en la Sagrada Escritura. A través de ella, se acercan a Jesús y escuchan su mensaje, dejándose transformar conforme encarnan la Palabra en su vida. Al reunirse en nombre de Jesús, él les ofrece su gran amor y les da vida nueva, como él mismo afirma al decir, "Donde están dos o tres reunidos en mi nombre, allí estoy yo en medio de ellos" (Mt 18, 20).

"Jesucristo es el mismo ayer, hoy y siempre" (Heb 13, 8). Por lo tanto, la Misión Bíblica Juvenil, al transmitir con fidelidad las verdades del Evangelio, es un proyecto para el hoy y el mañana; un instrumento para mantener siempre viva la presencia activa de Jesús y el impulso de su Espíritu.

METAS Y OBJETIVOS DE LA MISIÓN

Metas generales

1. Llevar la Palabra de Dios a la juventud en el Continente Americano, con nuevo ardor, expresiones y métodos.

2. Promover la vocación evangelizadora del liderazgo juvenil católico.

3. Crear un espíritu de iglesia universal entre la juventud católica.

Objetivos de los jóvenes evangelizadores y anfitriones

1. Llevar la Palabra de Dios, de manera significativa, a millones de jóvenes en el Continente Americano, con un alcance bilingüe y multicultural.

2. Estar más conscientes de su vocación evangelizadora y a ser apóstoles entre otros jóvenes en el medio ambiente en que viven.

3. Promover su fe y crear un espíritu de hermandad con otros jóvenes en el Continente Americano.

4. Contar con un modelo pastoral misionero, diseñado especialmente para jóvenes y con los recursos necesarios para ser organizado por agentes de pastoral juvenil, catequistas, líderes juveniles y padres de familia.

5. Utilizar su conocimiento de la Sagrada Escritura y su formación catequética para llevar la Palabra de Dios a otros jóvenes.

Objetivos de la Misión como miembros de la Iglesia

1. Responder al llamado del papa Juan Pablo II a la Nueva Evangelización, en el espíritu de su exhortación apostólica *Ecclesia in America.*[2]

2. Responder al llamado del papa Benedicto XVI en su convocatoria al Sínodo de la Palabra de Dios en la vida y la misión de la Iglesia, para que "la Palabra de Dios sea [...] más conocida, escuchada, contemplada, profundizada, amada y vivida".[3]

3. Responder al llamado de los obispos latinoamericanos en la V Conferencia del Consejo Episcopal Latinoamericano (CELAM), a estar en activo *estado de misión* en la Iglesia católica en América Latina.[4]

4. Implementar las conclusiones del Primer Encuentro Nacional de Pastoral Juvenil Hispana, en Estados Unidos, que piden la creación de modelos pastorales de evangelización y formación de líderes entre los jóvenes hispanos,[5] y de *Renovemos la visión,* que pide que se lleve a Jesús a todos los adolescentes.[6]

5. Responder a las necesidades de unidad y diversidad de la Iglesia en Estados Unidos, con un esfuerzo misionero bilingüe, con el potencial de incluir a jóvenes de cualquier origen cultural.

6. Promover una pastoral de conjunto entre las arqui/diócesis, parroquias, institutos pastorales, congregaciones religiosas, organizaciones nacionales y movimientos apostólicos, como promotores y organizadores de las Misiones.

Organización y utilización del Manual

Este *Manual* ofrece a los jóvenes misioneros el contenido teológico-pastoral, los lineamientos metodológicos y los aportes prácticos que necesitan para su formación y desempeñar su función en la Misión. Está organizado en tres partes:

- **Parte 1: Mística de la Misión.** Enfatiza la misión evangelizadora de la Iglesia; señala la relevancia de la Misión Bíblica, "La Palabra se hace joven con los jóvenes", en la Nueva Evangelización del Continente Americano; presenta los fundamentos teológico-pastorales de este proyecto, y sitúa a los jóvenes misioneros como protagonistas de la Misión.

    La mística es un aspecto vital en la Misión, pues comunica de múltiples maneras su espiritualidad, que es la fuente de donde nace la acción misionera:

    > La palabra *mística* implica un conjunto de ideales, actitudes, valores y sentimientos que motivan e iluminan a personas y comunidades en su jornada de fe, inspirando su respuesta a Dios y produciendo una espiritualidad que anima su vida y su ministerio pastoral. Esta mística proviene de una experiencia espiritual profunda, fundamentada en una reflexión teológica sobre la práctica pastoral como iglesia.

    > La Cruz de la Misión y su simbología, la canción lema y su videoclip, el vídeo de capacitación y los cantos para las sesiones son instrumentos que ayudan a generar la mística propia de esta Misión. Sin embargo, son los jóvenes —con su dinamismo, su amor a Jesús, su celo apostólico, su interés en la encarnación del evangelio en la juventud, su deseo de llevar la Buena Nueva a sus compañeros— los que dan a la Misión, una mística de profetismo juvenil, capaz de generar la fe en Jesús y su mensaje de salvación.[7]

- **Parte 2: Ser misionero joven.** Expone el Círculo Pastoral como metodología propia de la Misión; señala la importancia del liderazgo compartido para forjar comunidad; habla de la tarea evangelizadora de la juventud actual, y revisa el proceso de madurez de los jóvenes cristianos.

- **Parte 3: La Misión en acción.** Presenta el proceso de implementación de la Misión; indica la función de los *Manuales,* el *Cuaderno* y el *Diario;* señala el proceso de formación en la acción de los jóvenes misioneros; da instrucciones para prepararse para la Jornada de Capacitación y para facilitar las sesiones; ofrece aportes prácticos para una conducción efectiva de las sesiones; brinda una guía para la celebración de las Liturgias de Envío y de Clausura.

Este *Manual* es la segunda publicación que utilizarán los jóvenes misioneros. La primera es el *Diario de la Misión,* donde habrán anotado sus reflexiones personales al vivirla. Al finalizar esa experiencia, los jóvenes reciben este *Manual* junto con el *Cuaderno de la Misión,* para que los estudien antes de su Jornada de Capacitación.

El *Cuaderno* presenta de manera detallada el proceso, contenidos y actividades para cada sesión de la Misión, indicando el liderazgo que deberán ejercer en ellas los evangelizadores y los anfitriones. Es un instrumento de preparación inmediata a las sesiones bíblicas y una guía detallada para conducirlas.

Deseamos que el contenido de este *Manual* ayude a preparar a los Equipos de Jóvenes Misioneros. Esperamos que los temas generen preguntas, se adquiera conocimiento y, sobretodo, ayuden a fomentar la mística de la Misión.

LA BIBLIA CATÓLICA PARA JÓVENES Y SU UTILIZACIÓN EN LA MISIÓN

La Biblia Católica para Jóvenes (BCJ)[8] es el corazón de la pastoral bíblica juvenil del Instituto Fe y Vida. Fue creada con el fin de ofrecer una Biblia que lleve a los jóvenes a conocer la Palabra de Dios, orar con ella y vivirla desde el corazón, y que les ayude a compartirla con sus compañeros. Por ello contiene diferentes tipos de comentarios, valiosas introducciones y una serie de apoyos didácticos y pastorales.

La BCJ como instrumento privilegiado para los jóvenes misioneros

Como los jóvenes misioneros deben acercarse directamente a la Palabra de Dios, para orar con ella, familiarizarse con su mensaje y hacerla vida, es ideal que todos cuenten con una *BCJ.* Esta versión de la Biblia les será también de gran utilidad en su misión de evangelizadores de sus compañeros.

El texto de la *Biblia de América* o la *BCJ:* texto oficial de la Misión

La *BCJ* utiliza el texto de la *Biblia de América,* debido a su calidad bíblica y lenguaje accesible para los jóvenes. Con el fin de que los participantes en la Misión lean la misma versión del texto bíblico, las citas sobre las que se reflexiona en ella, están transcritas en las publicaciones de la Misión.

Edición especial de la *BCJ* para la Misión

Existe una edición especial de la *BCJ* para la Misión, la cual tiene en la cubierta la Cruz de la Primera Misión. Su introducción habla de la Misión y explica el simbolismo de esta Cruz. Es la Biblia que se recomienda entronizar en cada sede de la Misión, durante la primera sesión bíblica.

PARTE 1
MÍSTICA DE LA MISIÓN

> Se necesitan jóvenes que dejen arder
> dentro de sí el amor de Dios y respondan
> generosamente a su llamado apremiante...
> les aseguro que el Espíritu de Jesús los
> invita hoy, a ustedes, jóvenes, a ser
> portadores de la buena noticia de Jesús a
> sus compañeros.
>
> —Benedicto XVI
> *XXIII Jornada Mundial de la Juventud*

1.1 LA MISIÓN BÍBLICA JUVENIL Y LA NUEVA EVANGELIZACIÓN

La Misión Bíblica Juvenil, "La Palabra se hace joven con los jóvenes", es una contribución a la labor principal de la Iglesia: la evangelización de los pueblos. En este caso, realizada *por, con, desde* y *para* los jóvenes. Se inserta en los esfuerzos de la Nueva Evangelización de América y utiliza la Sagrada Escritura, como fuente para el encuentro con Jesús y su Buena Nueva de salvación.

Jesús quiere que la Palabra se haga joven con los jóvenes

El evangelio de Juan empieza diciendo que la Palabra de Dios ha existido desde siempre y que esa Palabra es Dios. Recordando el relato de la creación del universo y del ser humano —que muestra la eficiencia de la Palabra de Dios y la grandeza de su obra— Juan nos indica cómo esta Palabra es fuente de vida y de luz para toda persona (Jn 1, 1-5).

Después, refiriéndose a Jesús, nos dice que la Palabra de Dios se hizo hombre y nos llenó con su luz. A aquéllos que lo recibieron, les dio la capacidad de ser hijos e hijas de Dios, porque al aceptarlo en su vida, nacen de Dios y dan gloria a Dios (vv 9-14).

La encarnación de Jesús en la historia, a través de María, su Madre, por obra del Espíritu Santo, continúa hoy día a través de los cristianos que hacemos presente a Jesús en nuestro medio ambiente. Esto sucede en la medida en que nuestra vida, acciones y palabras nacen de la presencia activa del Espíritu Santo en nosotros.

De manera similar a Jesús, quien vino al mundo a instaurar el reino de Dios trayendo una vida nueva, los cristianos tenemos la misión de ser fuente de luz y vida para los demás. Esta misión la recibimos en nuestro bautismo y la tenemos a lo largo de toda la vida; desde niños nos toca realizarla con los dones propios de cada edad.

De jóvenes, la misión cristiana adquiere nuevos horizontes, dada la capacidad de la juventud para extender el reino de Dios, en particular entre sus compañeros de edad. Por eso, la Iglesia insiste, una y otra vez, en que los jóvenes son los mejores evangelizadores de los jóvenes: las personas llamadas por Jesús a encarnar su Palabra en el ambiente juvenil. De ahí que la pastoral juvenil promueva el protagonismo del joven de modo que la evangelización de la juventud sea hecha *por* los jóvenes, *con* los jóvenes, *desde* los jóvenes y *para* los jóvenes:

Por los jóvenes, supone una invitación, una convocatoria a capacitarse y organizarse para llevar la Palabra de Dios a sus compañeros. Esto se logra mediante un proceso de formación en la acción, en el cual los jóvenes adultos, con madurez humana, formación sólida y experiencia pastoral, pueden servir como asesores y ser miembros del Equipo Central.

Con los jóvenes, implica que el liderazgo adulto —organizado como Equipo Central— capacita y apoya a los jóvenes misioneros para que sean los protagonistas de la acción pastoral. Esto implica creer en los jóvenes, asesorándolos y acompañándolos, a identificar y consolidar su protagonismo.

Desde los jóvenes, es tomar en cuenta su realidad personal, comunitaria y social, como punto de partida al hacer la reflexión a la luz de la Palabra de Dios. Este enfoque se asegura con la metodología utilizada en las sesiones bíblicas, que lleva al joven a reflexionar y a orar a partir de su experiencia.

Para los jóvenes, es la meta última de esta Misión. Se trata de llegar a miles de jóvenes, en nuestro continente, para llevarles la Palabra dadora de vida y facilitar que al encarnarse en ellos: sus angustias se tornen en paz; su soledad en comunidad; su apatía en fuerza que proviene del Espíritu; su desorientación en camino hacia el amor eterno con el Padre.

El cuerpo místico de Cristo en acción

Al nacer como hijos e hijas de Dios en nuestro bautismo, somos conformados en Cristo Jesús, por medio del Espíritu, al grado que podemos exclamar como Pablo, "ya no vivo yo, sino que es Cristo quien vive en mí" (Gal 2, 20). Pero cada uno de nosotros, somos imagen imperfecta de Jesús, de ahí que Pablo hable de la comunidad eclesial como el cuerpo de Cristo, donde cada uno de los miembros cumple una función diferente, ya que unidos en comunión somos la presencia viva de Jesús actuante a lo largo de la historia (1 Cor 12, 12-31).

En este modelo de Misión hay varios roles *cristoformantes;* es decir, para que "la Palabra se haga joven con los jóvenes" se requiere crear equipos que lleven a cabo la Misión con el espíritu de Jesús y al estilo de Jesús:

- Se necesitan *evangelizadores/as* que asuman la triple misión de Jesús, como profeta, sacerdote y rey-pastor. Al proclamar la Buena Nueva de salvación a sus compañeros, realizan su misión profética. Al invitar a los jóvenes a centrar su corazón en Dios a través de una oración sincera y profunda, ejercen su misión sacerdotal, siendo puentes entre Dios y la humanidad. Al crear un espíritu de comunidad en la fe, llevan a cabo su misión de reyes-pastores, guiando a la comunidad según el estilo de Jesús.

MBJ

- Se requieren *anfitriones* que acojan a los jóvenes en nombre de Jesús, les den una bienvenida amable y los reciban con cariño. Al organizar el salón le dan el ambiente de calidez que daba Jesús a quienes se acercaban a él y al preparar los materiales, ponen la mesa de la Palabra, para que los participantes en la Misión, puedan alimentarse con ella.

- Se requiere un grupo de adultos que organice, capacite y acompañe a los jóvenes misioneros. Se necesita un *líder organizador/a* que reúna a miembros de la comunidad eclesial, para que se conviertan en apóstoles de Jesús, así como a *formadores y asesores* que, al identificarse con Jesús Maestro, se dispongan a formar y a acompañar a los jóvenes misioneros.

- También se necesitan personas que *asuman la faceta de Jesús orante* y apoyen la Misión con su oración. Jóvenes que, habiendo sido invitados a ser parte del Equipo de Jóvenes Misioneros, son llamados a ejercer este ministerio al no sentirse atraídos o no poder servir como evangelizadores o anfitriones en esta ocasión. También asume esta tarea la comunidad eclesial a la que pertenecen los jóvenes misioneros, sobre todo a partir de la Liturgia de Envío.

De la articulación, la acción y la oración de esta pequeña porción del cuerpo místico de Jesús, dependen los frutos de esta Misión. Como se trata de una Misión juvenil, los protagonistas o actores principales son los jóvenes misioneros, organizados en equipos de cuatro personas: dos evangelizadores y dos anfitriones, que hacen a Jesús profeta y amigo presente entre los jóvenes participantes.

Los evangelizadores y los anfitriones son los portadores de Jesús en esta Misión. Ambos lo llevan a los demás, movidos por su amor. Es su amor el que da forma a la faz de Dios, el que hace que la Palabra se haga vida, el que les da el poder para actuar.

Jesús utilizó muchas veces la imagen del sembrador para comunicar cómo obtenemos la vida nueva que nos quiere entregar. Siguiendo esta imagen, los jóvenes anfitriones son los que preparan la tierra, al invitar a jóvenes a participar en la Misión, organizar los materiales para cada sesión y crear el espíritu de comunidad entre los participantes. Sólo con su labor, la semilla del evangelio a ser sembrada por los evangelizadores, mediante la proclamación de la Palabra y la facilitación de la oración y la reflexión, encontrará el terreno propicio para germinar y dar fruto en sus corazones.

Las mismas sesiones bíblicas que conducirán los jóvenes misioneros, serán vividas por ellos, siendo facilitadas por el Equipo Central. Al terminar su Vivencia de la Misión, realizarán un proceso para discernir si Dios los está llamando a servir como evangelizador/a o anfitrión/a, y después harán un rito de compromiso solemne en el que se hará en comunidad la siguiente oración.

ORACIÓN DE COMPROMISO
COMO EVANGELIZADOR/A O ANFITRIÓN/A

Jesús, gracias por haberme invitado
a ser parte de un Equipo de Jóvenes Misioneros,
para que tu Palabra se haga joven con los jóvenes.

Respondo a tu llamado,
como evangelizador/a o anfitrión/a, en esta Misión,
para hacerte presente con mis acciones.

Me comprometo a capacitarme
para llevar a cabo las cuatro sesiones bíblicas
con el espíritu propio del discípulo/a misionero/a tuyo.

¡Bendice mi compromiso
y envía a tu Espíritu para que me ilumine
y dé las fuerzas necesarias para llevar a cabo tu misión!

María, Madre de Jesús y madre nuestra,
que por tu "sí" permitiste
la encarnación de tu Hijo en nuestra historia,
acompáñame en esta Misión,
para que el Espíritu Santo actúe a través de mí
y la Palabra se haga joven con los jóvenes. Amén.

La misión evangelizadora de la Iglesia

La tarea esencial de la Iglesia es evangelizar; proclamar la buena nueva de Jesús y la llegada del reino de Dios a la historia de la humanidad. Esta misión de la Iglesia es trinitaria. A los seguidores de Jesús —seamos adultos, jóvenes o niños— nos toca llevar a Dios a otras personas, según los dones y posibilidades de nuestra edad. Se trata de que, al conocer a Jesús y recibir su amor incondicional, le respondamos también con amor y permitamos ser movidos por el Espíritu Santo, de modo que vivamos en esta tierra las primicias del reino de Dios y caminemos seguros hacia la vida eterna en manos del Padre.

El contenido fundamental de la misión de la Iglesia es la Palabra de Dios revelada en la Sagrada Escritura. Toma en cuenta la Tradición y el Magisterio de la Iglesia, para encarnar la Palabra en la realidad humana en general y en la situación concreta de los jóvenes que participarán en este esfuerzo misionero.

La Iglesia nace de la misión de Jesús, quien es el evangelio mismo de Dios y ha sido enviado para entregar la buena nueva de su Reino a todas las generaciones hasta el final de los tiempos. La evangelización lleva consigo la sabiduría y la entrega amorosa de Dios y puede suscitar la fe en Jesucristo, en todo tiempo, cultura y lugar. Dios nos necesita exclama San Pablo (Rom 10, 14-17).

Dios habla siempre —ayer, hoy y mañana—. Está en constante comunicación con nosotros; su Palabra se ofrece siempre contemporánea y actual. La misión de la Iglesia es transmitir su Palabra a toda persona, en todo tiempo y lugar, según el mandato de Jesús "hagan discípulos a todos los pueblos y bautícenlos" (Mt 28, 19). La historia muestra cómo ha sucedido y continúa aconteciendo esto, con vitalidad y fecundidad, en medio de los desafíos y obstáculos propios de cada época.

Cristo es el único camino de salvación y sólo conociéndolo y enamorándose de él, pueden los jóvenes caminar a su lado día a día. Por eso, compartir la Buena Nueva de joven a joven merece que la comunidad eclesial le dedique su tiempo y su energía, y que algunas personas le consagren su vida entera, si fuera su vocación.

Una *Misión* como ésta, organizada para ser realizada en un tiempo y espacio específico, es una oportunidad de congregar a la comunidad de fe en torno a la Palabra, fortalecerla para enviarla a sus hermanos/as jóvenes que desean conocer mejor a Jesús y a quienes están alejados de Dios. Esto es una necesidad urgente en la juventud actual, hambrienta del verdadero alimento que ofrece la Sagrada Escritura.

La buena nueva de Jesús es para toda generación de cristianos; las enseñanzas de Jesús y el misterio de salvación son fuente de vida plena en todas las circunstancias de la vida. Por eso las misiones bíblicas, como instrumento de evangelización, tienen carácter atemporal y siempre actual, pues se nutren de la Palabra vivificadora de Dios.

Para que la Palabra de Dios se haga joven con los jóvenes, las Misiones Bíblicas Juveniles se centran en Jesús y su mensaje de salvación. La primera Misión se centra en siete nombres simbólicos que Jesús se dio a sí mismo, para revelar su identidad, mostrarnos al Padre y explicarnos su misión salvadora, según el evangelio de Juan.

Al revelar su identidad diciendo "yo soy", Jesús está afirmando que él es Dios, que en él se cumplen las promesas del Antiguo Testamento. Esta manera de presentarse fue la que utilizó con Moisés, al decirle: "Yo soy el Dios de tu padre, el Dios de Abraham, el Dios de Isaac, y el Dios de Jacob" (Ex 3, 6); este fue el nombre con el que se reveló a su pueblo a través de Moisés: "Yo soy el que soy" (v. 14). Al conocer a Jesús con distintos nombres simbólicos, los jóvenes se encuentran con él, lo conocen mejor, se abren a su amor liberador, pueden identificarse con él y fortalecen su vocación y misión como cristianos.

Las siguientes Misiones ofrecidas por el Instituto Fe y Vida tienen diferentes perspectivas sobre Jesús y su misión. Así, a través de Jesús, la juventud puede experimentar la presencia activa del Espíritu Santo y la comunión como hijos e hijas del Padre, y disponerse a realizar su vocación bautismal.

La Misión Bíblica Juvenil como aporte a la Nueva Evangelización en América

La Nueva Evangelización en el Continente Americano es una respuesta a los desafíos y esperanzas de pueblos con gran tradición de fe, pero una distancia cada vez mayor entre la fe y la vida, y una disminución palpable en su relación con Dios, causada por el secularismo. Estamos en un momento de *kairós,* de gracia, para escuchar el evangelio e iluminar con él las realidades de nuestra época. Un solo y único evangelio —la buena nueva de Jesús y el reino de Dios— hace eco en los corazones de quienes lo escuchan y lo comparten con nuevo ardor, expresiones y métodos.

El papa Juan Pablo II, al lanzar la Nueva Evangelización en América Latina, la veía como algo dinámico: una llamada urgente a la conversión y a la esperanza. Este nuevo esfuerzo evangelizador tiene como fin suscitar la adhesión personal a Jesucristo y su Iglesia, con la fuerza renovadora de la Palabra de Dios, gracias a la acción del Espíritu Santo, que crea unidad en la diversidad; alimenta la riqueza carismática y ministerial de la comunidad eclesial, y se proyecta al mundo mediante el compromiso misionero.[9]

En este espíritu se enmarca la Misión Bíblica Juvenil, "La Palabra se hace joven con los jóvenes", la cual conlleva las características de la Nueva Evangelización promulgada por Juan Pablo II, y responde a ella con un plan misionero para la iglesia joven. Su meta es llevar la Palabra de Dios a todos los rincones del Continente Americano al promover la vocación evangelizadora del liderazgo juvenil católico y crear un espíritu de iglesia universal entre la juventud católica.

Esta acción evangelizadora al ser realizada *por, con, desde* y *para* los jóvenes, tiene dos dimensiones complementarias:

- La evangelización continua y progresiva de los jóvenes activos en la Iglesia.

- Una oportunidad evangelizadora para la juventud que no participa activamente en la vida de la Iglesia.

Evangelizar significa llevar la Buena Nueva a todos los ambientes de la humanidad y, con su influjo, transformarla y renovarla desde dentro. Es llevar a Jesús y su mensaje al ambiente en el que viven los jóvenes. La encíclica *Evangelii Nutiandi,* del Papa Pablo VI indica que:

> No se trata solamente de predicar el Evangelio en zonas geográficas cada vez más vastas o poblaciones más numerosas, sino de alcanzar y transformar con la fuerza del Evangelio los criterios de juicio, los valores determinantes, los puntos de interés, las líneas de pensamiento, las fuentes inspiradoras y los modelos de vida de la humanidad, que están en contraste con la Palabra de Dios y con el designio de salvación".[10]

Esta encíclica también señala que la evangelización es un proceso dinámico de elementos variados, complementarios y mutuamente enriquecedores, que llaman a la conversión y a la vida nueva en Cristo Jesús; llevan a la comunión con el Padre que nos hace hijos y hermanos, y promueven la justicia, el perdón y la paz como frutos del Espíritu Santo,[11] base de toda sociedad auténticamente humana.

La Cruz de la Misión y su relación con las cruces atriales

A cada joven misionero se la dará una pequeña Cruz de la Misión como signo de su vocación y compromiso. Una Cruz más grande será entronizada en cada sede de la Misión, en memorial de la primera evangelización en la Nueva España. Dichas cruces, grabadas en piedra con múltiples símbolos y rica decoración, tenían tres características:

- **Ubicación espacial.** Estaban colocadas al centro del atrio, como eje del espacio sagrado y como signo organizador de la vida cristiana, como indica la foto de la derecha. Eran un signo del esfuerzo de los misioneros por fundar un cristianismo centrado en la persona de Jesús y sus enseñanzas.

- **Simbolismo religioso.** Cumplían una función evangelizadora y catequética, pues los símbolos plasmados en ellas explicaban diversos aspectos de la fe, poniendo especial atención al misterio pascual. Los misioneros y catequistas aprovechaban los símbolos para motivar a seguir a Jesús y enseñar las verdades de la fe.

- **Encarnación en la cultura.** Tenían plasmadas la sensibilidad artística de los indígenas que las crearon. Las figuras y los adornos grabados reflejaban la encarnación del mensaje del evangelio en la cultura local.

PARROQUIA DE HUICHAPAN
HIDALGO, MÉXICO

PARROQUIA DE YECAPIXTLA
MORELOS, MÉXICO

De manera similar, la Cruz de la Misión —ubicada en cada sede— la marcará como lugar privilegiado de la revelación de Dios. Esta Cruz está decorada con símbolos que dan a conocer mejor a Jesús y lo presentan al joven de manera cercana, íntima y alegre, para que se relacione con él como amigo, profeta y guía en el camino.

En la Primera Misión, "La Palabra se hace joven con los jóvenes", la Cruz hace referencia a los siete nombres simbólicos que Jesús utiliza para revelar su identidad, según el evangelio de Juan. Dichas declaraciones se presentan al joven con la misma calidez con la que Jesús explica a sus discípulos quién es él y su misión salvadora, al identificarse diciéndoles "Yo soy", para abrirlos a su amor sin igual y a su encarnación en la historia de la humanidad:

- Yo soy la vid (Jn 15, 5)

- Yo soy el pan de vida (Jn 6, 35)

- Yo soy el camino, la verdad y la vida (Jn 14, 6)

- Yo soy la resurrección y la vida (Jn 11, 25)

- Yo soy la puerta por la que deben entrar las ovejas (Jn 10, 7)

- Yo soy el buen pastor (Jn 10, 11)

- Yo soy la luz del mundo (Jn 8, 12)

Con estos siete mensajes sencillos, profundos y llenos de contenido, Jesús se muestra a los discípulos de todo tiempo y lugar, como el Salvador, el Mesías, el Señor, alimento espiritual y dador de vida. En cada "Yo soy" de Jesús recibimos las promesas del Reino; escuchamos su invitación a seguirlo como discípulos y apóstoles; visualizamos los compromisos que conlleva ser cristianos en la realidad de cada día y en los momentos críticos a lo largo de toda la vida.

Hoy día Jesús continúa presentándosenos al decirnos: "Yo soy". Al hacerlo, entabla un diálogo con el/la joven, quien al escucharlo en un ambiente de confianza y oración, tiene la disponibilidad para responder a la voz del Señor con el corazón y la acción.

El simbolismo de la Cruz de la Misión, cambiará en las misiones subsecuentes para reflejar sus temas, como estandarte y distintivo de la Misión Juvenil, "La Palabra se hace joven con los jóvenes". Al entronizar la Cruz en cada sede de la Misión, Jesús se convertirá en el centro de la vida y la fe de los jóvenes que participen en ella. Tomará su lugar como verdadero alimento espiritual, el único que tiene palabras de vida eterna.

Los misioneros llevarán colgada al cuello, cerca del corazón, la Cruz que se les entregará al enviarlos en misión. Es su recordatorio de haber sido llamados por el mismo Jesús a llevar su mensaje a otros jóvenes y signo del compromiso adquirido, conscientes de que Jesús les da fuerza en su jornada como misioneros, a través de su Espíritu que habita en ellos.

Los jóvenes como portadores de la Palabra de Dios en la Nueva Evangelización

El papa Juan Pablo II creía firmemente que "los jóvenes son una gran fuerza social y evangelizadora. 'Constituyen una parte numerosísima de la población en muchas naciones de América. En el encuentro de ellos con Cristo vivo se fundan la esperanza y las expectativas de un futuro de mayor comunión y solidaridad para la Iglesia y las sociedades de América'".[12]

La Iglesia ha confiado continuamente en los jóvenes y en su sensibilidad a descubrir su vocación a ser amigos y discípulos de Jesús, sus apóstoles entre la juventud. Están llamados a servir a sus hermanos/as; a invertir su energía, su tiempo y su vida, para llevar la buena nueva de Jesús a quien consciente o inconscientemente anhela una vida nueva, especialmente entre los más necesitados.

A través de sus acciones, convicciones y estilo de vida, hacen presente a Jesús y los valores del evangelio entre sus compañeros. Este testimonio constituye de por sí, una proclamación silenciosa, clara y eficaz, de la buena nueva de Jesús, que se hace carne al compartir su amor y generosidad, brindar comprensión y acogida al prójimo, mostrar solidaridad con todo lo noble y bueno en el mundo, animar con fe y esperanza. La buena nueva de Jesús es la única capaz de saciar el vacío espiritual en una sociedad marcada por el egocentrismo, el materialismo, el consumismo y el hedonismo (búsqueda del placer como meta en la vida). Por su lado, la iglesia joven, consciente de su misión evangelizadora y preparada teológica y pastoralmente, puede ser enviada como apóstol de Jesús entre sus compañeros. Al invertir sus dones, tiempo y esfuerzo en ser profetas de esperanza, se convierten en signo de unidad en la fe, instrumento de comunión fraterna en la pluralidad de expresiones y fuente de comunidades donde se nutre la vocación al servicio del reino de Dios.

Esta juventud activa de la Iglesia, con su idealismo, energía y creatividad, tiene el rol privilegiado de proclamar el único evangelio con *nuevo ardor, expresiones y métodos* —las tres características de la Nueva Evangelización:

El nuevo ardor se ve en la santidad de vida que llevan muchos jóvenes y en su espíritu profético y misionero. Se constata en su conciencia de ser una fuerza renovadora de la Iglesia y en su disponibilidad a comunicar su alegría y compartir sus dones. Se palpa en la intensidad de su oración y en su disposición para evangelizar a otros jóvenes, servir a los necesitados y luchar por la justicia.

Las nuevas expresiones permiten llevar el evangelio a otros jóvenes de manera significativa para ellos. A nivel de discipulado, existen grupos y pequeñas comunidades juveniles de oración, estudio, reflexión, acción apostólica y acción social. En la evangelización masiva, destacan el uso de medios de comunicación actuales, los congresos con testimonios y la música religiosa. En su religiosidad popular se ven valores del evangelio encarnados en su cultura actual.

Los nuevos métodos "encarnan la Palabra de Dios en la vida de los jóvenes. Se basan en la experiencia de Jesús vivo y el impulso vigoroso del Espíritu Santo. Se apoyan en un análisis crítico de la realidad a la luz del evangelio y las enseñanzas de la Iglesia. Llevan a una práctica pastoral efectiva de parte de los jóvenes. Favorecen el descubrimiento, desarrollo y uso de los dones al servicio de la comunidad, siendo sal, luz y levadura, según el ambiente en donde viven".[13]

Para ser agentes de la Nueva Evangelización, los jóvenes necesitan vivir su discipulado en comunidad y experimentar en ella las primicias del Reino; ser semillas, perlas escondidas, luz, levadura y sal, como proclama Jesús en sus parábolas del Reino:

- *Semillas* generadoras de vida —semillas que a su vez necesitan recibir la semilla del evangelio y ser atendidas para que se desarrollen y den fruto.

- *Perlas* escondidas en sus casas, calles, escuelas, trabajos, grupos, deportes y centros comerciales —perlas que necesitan ser encontradas y ayudadas a descubrir su valor para hacer realidad el Reino.

- *Luz* que brilla cuando ofrece su ayuda, apoyo, consejo, compañía, amistad, perdón, solidaridad y amor —luz que necesita ser iluminada constantemente con la Palabra de Dios para reflejar mejor el amor de Dios a la humanidad.

- *Levadura* que está bien insertada en la masa de la juventud con quien conviven día a día —levadura que necesita el poder del Espíritu Santo para transformar el ambiente juvenil de manera que sea fuente de vida para los jóvenes.

- *Sal* capaz de sazonar con el amor de Dios la vida de otros jóvenes —sal que a su vez necesita descubrir este amor liberador para encontrar el sentido cristiano de la vida y poder compartirlo con los demás.

Del encuentro con Jesús nace un deseo de profundizar en esa relación y una disposición a seguir el programa de vida que nos propone, es decir, una adhesión al Reino, a la nueva manera de ser, pensar, vivir y actuar que inaugura el evangelio. Quien ha sido evangelizado/a, siente la necesidad de evangelizar a los demás. Ésa es la prueba de la autenticidad de la adhesión a Jesús y la razón principal por la que la Iglesia continúa viva y se renueva constantemente, a pesar de las limitaciones y debilidades de sus miembros. Todo joven que de verdad acoge la Palabra de Dios y se compromete a trabajar en la construcción de su Reino, se convierte en testigo anunciador de quien ha transformado su vida.

1.2 FUNDAMENTOS TEOLÓGICO-PASTORALES DE LA MISIÓN

La Misión Bíblica Juvenil cumple con la tarea de la Iglesia de ser testigo y profeta del reino de Jesús, una tarea que consiste en seguir haciendo lo que él hizo, seguir diciendo lo que él dijo, y seguir viviendo con el estilo de vida que él vivió (1 Jn 2, 6). El lema de la Misión, "La Palabra se hace joven con los jóvenes", centra la tarea de la Iglesia en la juventud y señala la importancia de que la iglesia joven encarne la Palabra de Dios en su vida y la lleve por doquier.

Jesús nos urge a evangelizar

Jesús mismo, después de su resurrección y antes de ascender a los cielos, se aparece a sus discípulos —mujeres y hombres— en varias ocasiones. Sale a su encuentro para indicarles que les corresponde a ellos continuar su misión y les comunica que el Espíritu Santo les dará la fuerza para lograrlo (Mt 28; Mc 16; Lc 24; Jn 20; Hch 1, 3-8).

Jesús sale al encuentro de dos discípulos camino a Emaús, les explica las Escrituras para que comprendan por qué el Mesías tuvo que padecer y se da a reconocer en el partir del pan (Lc 24, 13-35). En otras apariciones, Jesús pesca y come con sus discípulos (Lc 24, 39-50; Jn 21); promete enviarles al Consolador, "don prometido por mi Padre" (Lc 24, 49), y sopla sobre ellos su Espíritu Santo (Jn 20, 22). Finalmente, envía a sus discípulos diciéndoles que vayan por todo el mundo y proclamen la buena noticia a toda criatura; los bauticen, para consagrarlos al Padre, al Hijo y al Espíritu Santo, y acompañen sus palabras con signos de nueva vida (Mc 16, 15; Mt 28, 19; Lc 16, 15-18).

El día de Pentecostés, cuando los discípulos "quedaron llenos de Espíritu Santo" (Hch 2, 4), descubrieron que Jesús era "el Señor" y empezaron a comprender sus enseñanzas de manera más profunda. Su vida cobró un nuevo sentido y tuvieron la fuerza y la valentía para salir a proclamar a todos los confines de la tierra, que Jesús es el Mesías y que su Palabra da vida en abundancia.

Jesús —la Palabra de Dios encarnada— sigue vivo y activo hoy día en la historia, a través de su Espíritu, presente en su cuerpo místico, la Iglesia. La Palabra renueva a todo aquél que la escucha, penetra con fuerza en lo más profundo de su ser e ilumina su vida para verla con los ojos de Jesús. La Palabra es eficaz, viva y vivificadora; salvadora y liberadora; reveladora e interpelante. Su proclamación y transmisión fueron confiadas por Jesús a sus discípulos y nadie puede permanecer indiferente ante esta misión.

El joven discípulo, con la Palabra de Dios como cimiento, es impulsado a llevar la Buena Nueva de salvación a sus hermanos/as. Discipulado y misión son dos caras de una misma moneda: cuando el discípulo está enamorado de Cristo, no puede dejar de anunciar al mundo que sólo él salva, pues el discípulo sabe que sólo con Cristo hay luz, esperanza, amor y futuro.

En el bautismo somos llamados a continuar la misión de Jesús, como sacerdote, profeta y rey-pastor. La vida nueva en Cristo Jesús, adquirida en el bautismo, nos libera del pecado y nos incorpora a la comunidad de sus discípulos. Gracias a él somos miembros de su cuerpo activo en la historia, siendo él la cabeza. El seguimiento del Maestro va íntimamente ligado a la misión de Jesús, para seguir haciendo realidad la salvación que logró para toda la humanidad al ofrecer su vida al Padre.[14]

Dios llama a los jóvenes a ser sus profetas desde el Antiguo Testamento

Desde el Antiguo Testamento, Dios ha llamado y encomendado a muchos jóvenes la misión de ser sus profetas. Estos jóvenes, habiendo escuchado su llamado, aceptaron formar parte de su plan de salvación.

Una vocación profética suele seguir el siguiente proceso entre Dios y la persona:

- Dios sale a su encuentro, la invita a ser su profeta y le encomienda una misión.

- La persona reconoce su pecado y el de su pueblo, así como sus limitaciones para la misión, y no se atreve a aceptar la tarea.

- Dios rehúsa su negativa y la fortalece para que sea su profeta.

Un breve recorrido por la historia de salvación muestra cómo Dios contó con jóvenes para forjar a su pueblo en la fe. Estos jóvenes son ejemplo para la juventud de hoy, que sigue atenta a la voz del Señor y dispuesta a seguirlo.

Isaac, "el hijo de la promesa", confió plenamente en su padre Abrahán, hasta dejar la propia vida en sus manos (Gn 22, 1-18). El Señor recompensó su fe y su disponibilidad, y a través de él y sus descendientes, la promesa de una descendencia numerosa se hizo realidad.

Josué, capitán del ejército israelita en la primera batalla contra los amalecitas (Ex 17, 8-15), se convirtió en ayudante de Moisés, quien lo capacitó para introducir al pueblo en la tierra prometida, bajo instrucciones del Señor. Moisés le cambió el nombre de Oseas a *Josué,* que quiere decir "Dios salva"; después lo nombró su sucesor y lo presentó oficialmente a la comunidad (Dt 31, 1-8).

MBJ

Samuel, desde muy joven, fue llamado por Dios para confiarle su misión. Al principio no le fue fácil interpretar con claridad el origen del llamado, pero gracias a la sabiduría del anciano Elí, descubrió que la voz venía de Dios y se dispuso a responder con docilidad: "Habla, Señor, que tu siervo escucha" (1 Sm 3, 9).

David, un joven pastor a cargo de las ovejas, fue ungido como rey por Samuel, por orden de Dios (1 Sm 16, 1-13). En la lucha de David contra Goliat (1 Sm 17, 4-50), Dios mostró cómo protege la vida de los jóvenes capaces de arriesgarla en defensa de su pueblo. A los ojos humanos, la victoria de David fue el triunfo del débil frente al poderoso; pero bajo la mirada de Dios, fue la victoria de quien puso su confianza en él y tomó en serio el compromiso de servirlo. David se convirtió en un rey según el corazón de Dios. Escribió algunos salmos para alabarlo; le pidió perdón cuando lo ofendió; realizó su misión de unir a las doce tribus de Israel en un solo pueblo y constituirlo en un reino.

Josías subió al trono del reino de Judá, siendo un niño de ocho años. Posteriormente, Dios le encomendó la tarea de emprender una audaz reforma social y religiosa que ayudara al pueblo a cumplir la ley del Señor y las exigencias de la alianza con todo su corazón, toda su alma y todas sus fuerzas (2 Re 22 – 23).

Jeremías fue encomendado por Dios con una misión profética difícil (Jr 1, 6): ser su portavoz en una situación de violencia e injusticia social, que lo llenó de miedo ante la inmensidad de su responsabilidad. Jeremías tuvo que superar muchas dificultades y problemas para cumplir su misión (Jr 11, 18-23). Sufrió profundamente al darse cuenta de que su presencia y su palabra creaban contiendas en todo el país. No siempre entendió la razón de su sufrimiento, dudó en medio de la soledad e incluso pensó en rebelarse contra Dios. Sin embargo, gracias a su apoyo optó por actuar con libertad por el proyecto de Dios (Jr 20, 7-11) y estar disponible en sus manos, como el jarro moldeado por el alfarero (Jr 18, 1-6).

Rut, una joven extranjera, a través de cuya historia Dios mostró cómo premia a quienes abandonan todo por servir al pobre y al necesitado (Rut 1, 16). Ella es símbolo de quienes luchan en favor de la dignidad y el derecho de toda persona a la tierra y a los bienes que vienen de Dios.

Judit fue una de las mujeres jóvenes, generosas, decididas y llenas de confianza en Dios, elegida por él para ayudar a conducir al pueblo de Israel a la liberación cuando estuvo bajo el dominio de reinos extranjeros y reavivar su fe en el cumplimiento definitivo de la promesa. Judit dejó de lado sus comodidades y su vida tranquila (Jdt 8, 7); superó la desconfianza, la apatía y la falta de fe de sus compatriotas (Jdt 8, 9-17); y asumió la defensa de su pueblo hasta enfrentar y vencer a Holofernes, generalísimo de los ejércitos asirios (Jdt 10-13).

Ester, una joven elegida providencialmente para ser reina (Est 2, 17), tuvo valor para tomar decisiones difíciles y defender a su pueblo en momentos cruciales (Est 4, 14). Fue capaz de elegir su vida y la de su pueblo por encima de la oferta del rey de otorgarle la mitad de su reino (Est 7, 2).

Los siete hermanos **macabeos,** animados por su madre, sufrieron muy jóvenes la tortura y la muerte por luchar contra la cultura griega, que trataba de imponer su filosofía humanista, relegando a Dios a un segundo plano o ignorándolo por completo. Con la confianza puesta en el Dios de la vida, defendieron hasta el final, su fe, los valores religiosos y las tradiciones de su pueblo (2 Mac 7, 23).

Dios suscita en María a la primera evangelizadora

María era una joven sencilla, desposada con José, cuando Dios envió al ángel Gabriel a decirle que la había elegido para ser Madre del Mesías, por obra del Espíritu Santo. María pregunta y dialoga con Dios y, sin comprender el misterio ante ella, responde con una fe libre y comprometida: "Aquí está la esclava del Señor, que me suceda como tú dices" (Lc 1, 38).

Desde ese momento María es Madre de Dios, hija predilecta del Padre y esposa del Espíritu Santo. Su misión fue nada menos que hacer posible la encarnación de Dios en la historia de la humanidad. En ella, la Palabra de Dios se hizo carne por obra del Espíritu Santo, para habitar en nosotros y entre nosotros.

María pertenecía al grupo de los *anawim* o resto de Israel, quienes esperaban fielmente al Mesías prometido. Era una joven de oración, con gran confianza en Dios y sus planes de salvación.

Años más tarde, María interviene en la boda de Caná, motivando el primer milagro de Jesús, con el que inicia su ministerio (Jn 2, 1-12). María es el modelo perfecto de discípula que vive los valores del Reino y conduce a Jesús.

Como madre y discípula, María se asoció al sacrificio salvador de Jesús. Antes de que él muriera, recibió como hijos e hijas a todas las personas redimidas por él, en ese bello momento en que Jesús estableció esta relación a través de Juan, su discípulo amado (Jn 19, 25-27). María aceptó la muerte de Jesús en la cruz, con dolor y esperanza a la vez, y gozó junto con los otros discípulos su resurrección y la vida nueva para siempre.

Jesús invita a los jóvenes a ser evangelizadores desde los inicios de la Iglesia

En el Nuevo Testamento se encuentra el testimonio de jóvenes que escucharon el llamado de Jesús y aceptaron su misión evangelizadora. Ellos son ejemplo para la juventud de hoy y de todos los tiempos.

Juan, hermano de Santiago e hijo de Zebedeo, escuchó a Juan el Bautista, señalar a Jesús como "el Cordero de Dios" (Jn 1, 36). Junto con otro discípulo, siguió a Jesús hasta donde vivía y aceptó su invitación a quedarse con él toda la tarde. Al escuchar el llamado de Jesús, Juan y Santiago dejaron las redes y lo siguieron. Desde entonces Juan no se apartó de Jesús. Presenció su Transfiguración, su agonía en el huerto de los Olivos, así como la resurrección de la hija de Jairo. Preparó la Última Cena junto con Pedro. Fue el único apóstol presente en el Calvario y, antes de morir, Jesús le encargó cuidar a María, su Madre, lo que cumplió hasta que ella subió al cielo. Es el autor intelectual del cuarto evangelio, y se atribuyen a sus discípulos tres cartas apostólicas y el Apocalipsis.

Timoteo fue discípulo muy amado de Pablo, quien le impuso las manos y le confió el ministerio de la predicación; solía referirse a él como "mi verdadero hijo en la fe" (1 Tim 1, 2). Timoteo acompañó a Pablo en su segundo y tercer viajes misioneros; era un joven de fe sincera, que creció en una familia de personas que confiaban en Dios (2 Tim 1, 5). En una de sus cartas, Pablo lo anima diciéndole "que nadie te menosprecie por tu juventud; por tu parte trata de ser modelo para los creyentes, por tu palabra, tu conducta, tu amor, tu fe y tu pureza" (1 Tim 4, 12). Años después, Pablo lo nombró obispo de Éfeso.

Matías fue presentado ante el grupo de los Once junto con Barsabás, llamado *Justo,* para suplir a Judas Iscariote y formar parte del grupo de los Doce. La Escritura dice que fue elegido por suerte (Hch 1, 23-26). Aunque no se conocen sus obras, su fidelidad y cercanía a Jesús fueron suficientes para ser elegido uno de los apóstoles.

Marcos fue probablemente uno de los primeros bautizados por Pedro. Era primo de Bernabé y acompañó a éste y a Pablo en su primer viaje misionero. Aunque por algún motivo tuvo que regresarse, siguió su misión junto a Bernabé (Hch 15, 37-39). Llegó a ser el intérprete y hombre de confianza de Pedro, escuchaba sus sermones en los que recordaba los hechos y palabras de Jesús, algo que Marcos aprendió muy bien (1Pe 5, 12). A petición de los cristianos de Roma, escribió lo que había oído predicar a Pedro sobre Jesús: el evangelio según Marcos. Posteriormente fue nombrado obispo de Alejandría, en Egipto.

Rufo era hijo de Simón de Cirene, quien cargó la cruz de Jesús. Pablo, en la epístola a los Romanos, lo saluda e identifica como un hombre llamado por el Señor (Rom 16, 13). Fue obispo de Tebas, en Grecia.

La Iglesia llama a los jóvenes de hoy a realizar su misión evangelizadora

El Concilio Vaticano Segundo afirma que "la Iglesia peregrinante es, por su por naturaleza, misionera, puesto que toma su origen de la misión del Hijo y de la misión del Espíritu Santo, según el propósito de Dios Padre".[15] El impulso misionero es fruto de la vida que la Trinidad comunica a los discípulos de Jesús. La Iglesia cumple esta misión con el testimonio diario de sus miembros y su disposición a proclamar su fe en Jesús con palabras y obras, como respuesta a su vocación bautismal.

Junto con los sacerdotes, religiosos/as y laicos adultos, la juventud está llamada a vivir en plenitud la dignidad sacerdotal, profética y real recibida en el bautismo. Es con esa dignidad que los jóvenes continúan la misión de Jesús: sacerdote, profeta-maestro, rey.[16] Recordemos que en su exhortación apostólica, en *Ecclesia in America,* el papa Juan Pablo II indicó que los jóvenes cristianos, formados con una conciencia misionera madura, deben ser los apóstoles de sus compañeros.[17]

La Iglesia en América Latina ha hecho una opción preferencial por los jóvenes,[18] y en Estados Unidos aparece como prioridad en la inmensa mayoría de los procesos que analizan las necesidades pastorales de la Iglesia a nivel diocesano y nacional. Esto significa reconocer el amor y la preocupación de Dios por los jóvenes y la confianza que deposita en ellos; implica que toda la Iglesia centre su atención, su preocupación y su tiempo allí donde Dios ha puesto su voluntad cariñosa.

En múltiples ocasiones, la iglesia joven ha demostrado con hechos su gran capacidad de entrega y servicio al Evangelio. Muchos jóvenes han sido llamados a salir de las fronteras de sus grupos, comunidades, parroquias o diócesis, e incluso de sus países, a trabajar con todas sus fuerzas en la misión salvífica de la Iglesia. A partir de sus experiencias de misión, los jóvenes han descubierto y testimoniado que "¡la fe se fortalece dándola!"[19]

Esto ha sucedido en los Encuentros Latinoamericanos de Pastoral Juvenil, donde los jóvenes han señalado a Jesús como centro de su acción evangelizadora, partiendo de la realidad juvenil. La publicación de guías y recursos para esta pastoral, como el libro, "Civilización del Amor: Tarea y Esperanza",[20] son fruto de esta labor. En él se insiste en que Jesucristo está vivo y presente en el mundo de los jóvenes; comunica que la Iglesia opta por ellos, y pide que les ofrezca procesos evangelizadores que los llamen a la misión y que los capaciten para ser profetas y testigos del reino de Dios en América.

Cuando los jóvenes cuentan con un espacio en la Iglesia, generan un ministerio de acompañamiento vibrante, que les ayuda a madurar como jóvenes discípulos de Jesús. Al participar en la vida y la misión de la Iglesia, desarrollan una identidad católica sólida, capaz de afirmar la fe, los valores culturales y las tradiciones.[21] Este proceso evangelizador juvenil beneficia a la comunidad de fe al recibir de los jóvenes sus dones y talentos.

La juventud latinoamericana inmigrante en Estados Unidos, ha llevado consigo su experiencia de pastoral juvenil desde sus países de origen y la ha contextualizado en su nueva realidad. Las "Conclusiones del Primer Encuentro Nacional de Pastoral

Juvenil Hispana" (2004-2006), señalan la trayectoria de la pastoral juvenil en este país, sus principios pastorales, así como los ideales, contribuciones y desafíos de la juventud católica. Se enfatiza la necesidad de procesos evangelizadores y de recursos para la formación y la acción pastoral.[22]

En las conclusiones de su V Conferencia General, los obispos latinoamericanos llamaron a la Iglesia de América Latina y el Caribe a entrar en estado de misión y enfatizaron que, como discípulos misioneros, los jóvenes están llamados a transmitir a sus hermanos jóvenes, la corriente de vida que viene de Cristo y a compartirla en comunidad construyendo la Iglesia y la sociedad.[23] Esta misión sólo es realizable con la acción de los laicos en comunión con la jerarquía de la Iglesia, reconociendo que unos y otros facilitan que los cristianos asuman con responsabilidad su vocación bautismal.

Los inmigrantes latinoamericanos en Estados Unidos, unidos a sus países de origen por sus raíces, familia, iglesia y cultura, han seguido la guía del Episcopado Latinoamericano en aquello que responde a su realidad estadounidense y enriquece su vida de fe y su misión como miembros de la Iglesia. En este espíritu, los jóvenes asumen el llamado de los obispos en Aparecida a ser *discípulos misioneros*.

El papa Benedicto XVI nos recuerda que "La lectura asidua de la Sagrada Escritura acompañada por la oración realiza el coloquio íntimo en el que, leyendo, se escucha a Dios que habla y, orando, se le responde con confiada apertura del corazón".[24] Al convocar el sínodo de los obispos, en 2008, insistió en: "que la Palabra de Dios [...] sea conocida, escuchada, amada, profundizada y vivida en la Iglesia, y así se transforme en Palabra de verdad y de amor para todos los hombres".[25] Los cristianos contemporáneos tenemos una gran necesidad de escuchar a Dios, hablar con él y caminar hacia su Palabra, como fuente de vida y gracia de encuentro con el Señor.[26]

En las Jornadas Mundiales de la Juventud, Benedicto XVI invita a los jóvenes a "adquirir intimidad con la Biblia, a tenerla a mano, para que sea para ustedes como una brújula que indica el camino a seguir".[27] Los urge a dejar arder dentro de sí el amor de Dios y responder a su llamado apremiante a ser portadores de la buena noticia a sus compañeros,[28] acción que ha de llevarse a cabo tanto en el ambiente en que viven, como en las zonas alejadas que requieren la ayuda de equipos misioneros jóvenes.

La evangelización en la cultura de los jóvenes

Al encarnarse, Jesús se inserta en el corazón de la humanidad a través de una cultura concreta, mostrando así que toda evangelización exige una inculturación.

> Por medio de la inculturación, la Iglesia encarna el Evangelio en las diversas culturas y, al mismo tiempo, introduce a los pueblos con sus culturas en su misma comunidad; transmite a las mismas sus propios valores, asumiendo lo que hay de bueno en ellas y renovándolas desde dentro. Por su parte, con la inculturación, la Iglesia se hace signo más comprensible de lo que es el instrumento de más apoyo para la misión".[29]

El universo juvenil actual tiene una cultura propia, con su forma de pensar, sus valores y se caracteriza por el dinamismo cultural vertiginoso, donde se da una globalización de la cultura juvenil y pluralidad de subculturas juveniles, todas en rápido proceso de cambio y evolución. La evangelización requiere, por lo tanto, un esfuerzo especial de inculturación y una actitud de constante apertura, renovación y actualización que responda a este dinamismo cultural en que está inmersa la juventud.

Al ofrecer a los jóvenes la buena nueva de Jesús, el evangelizador/a los ayuda a descubrir en su cultura los valores congruentes con el evangelio. Encarnar el evangelio entre los jóvenes es validar desde los ojos de Jesús sus sentimientos nobles, entrega generosa, alegría contagiosa, autenticidad en sus expresiones. Todas las semillas del evangelio que Dios ha sembrado ya en ellos a través de su propia cultura.

La adaptación del evangelio a las culturas de la juventud es anunciarlo en clave juvenil, de modo que pueda hacerse vida en la realidad y en la cultura de los jóvenes. Por eso, "los jóvenes deben convertirse en los primeros e inmediatos apóstoles de los jóvenes, ejerciendo el apostolado personal entre sus propios compañeros, teniendo en cuenta el medio social en que viven".[30]

La Misión, "La Palabra se hace joven con los jóvenes", fomenta en los jóvenes misioneros seguridad en su fe y una mayor autenticidad como discípulos de Jesús. Los ayuda a ir más allá de la evangelización silenciosa con su testimonio de vida, a llevar a Jesús a sus compañeros a través de la Palabra de Dios y la oración, y a proclamarles el mensaje de Jesús mediante procesos adecuados para los jóvenes.

La Misión, "La Palabra se hace joven con los jóvenes", como un proyecto evangelizador de la Iglesia en el siglo XXI

Todo proyecto eclesial tiene como centro y fuente a Cristo y su evangelio, y partir de la comunidad de fe, en comunión con toda la Iglesia. Cristo se nos da a conocer en su persona y sus enseñanzas por medio de la Sagrada Escritura; ahí está la Palabra revelada por Dios. A nosotros nos corresponde educarnos en su lectura y meditación, pues los hechos y palabras de Jesús son espíritu y vida.

El Continente Americano entero ha de hablar y dar testimonio de Jesucristo y su acción salvadora, fundamentándose firmemente en la Sagrada Escritura. Su mensaje es el que transforma a quien escucha la Palabra de Dios y se convierte de corazón. La Palabra, es el estandarte, el motor y la herramienta, de los jóvenes misioneros.

Los obispos latinoamericanos invitan a los jóvenes a "sentirse Iglesia y a experimentarla como lugar de comunión y participación".[31] En ella, los jóvenes son sujetos activos y protagonistas de la evangelización de sus compañeros, al vivir con alegría su vida, renovarse con entusiasmo, entregarse con generosidad y lanzarse comprometidos a nuevas conquistas.

El anhelo de la Iglesia de *ser joven con los jóvenes* se hace realidad a lo largo de la historia siempre que fomenta y nutre su vocación cristiana. El rostro de Jesús se refleja en el de los jóvenes que viven sus valores y llevan su Buena Nueva a otras personas.

En la Misión Bíblica Juvenil, los jóvenes participan intensamente al formarse como misioneros y al ofrecer la Misión a sus compañeros. Los adultos los apoyan, organizando la Misión, capacitándolos, acompañando sus esfuerzos y orientando sus tareas. Los jóvenes escuchan la voz de la experiencia adulta, toman decisiones frente a las tareas que habrán de realizar y las llevan a cabo.

Para que "la Palabra se haga joven con los jóvenes", hay que mantener el protagonismo juvenil, preparándose para ser el rostro, la voz y la fuerza de Jesús activo en la vida de sus compañeros. Los adultos dan paso para que los jóvenes crezcan, siguiendo el ejemplo de Juan el Bautista al presentar a Jesús, permitiendo que la evangelización sea de joven a joven, como lo indica el Magisterio de la Iglesia.

Esta Misión está diseñada para impulsar el protagonismo de los jóvenes como discípulos-misioneros, preparándolos para que asuman su vocación bautismal y para que ejerzan un liderazgo compartido al facilitar las sesiones de la Misión. Los Equipos de Jóvenes Misioneros pueden estar compuestos por adolescentes y/o por jóvenes, según la realidad de cada lugar:

Los equipos de adolescentes facilitan las sesiones de la Misión para adolescentes de igual o menor edad. Son acompañados por un adulto que funge como asesor; es decir, los que dirigen la sesión son los adolescentes y el adulto si necesita intervenir, lo hace a través de ellos, aconsejándolos y orientándolos.

Los equipos de jóvenes facilitan las sesiones de la Misión para adolescentes y jóvenes de menor edad o similar a la de ellos. Pueden dirigir las actividades, sin ser acompañados por un adulto, y ser asesores si son mayores de 22 años y tienen el nivel de formación adecuado. Si tienen poca experiencia, deberán contar con un asesor.

El papa Benedicto XVI, en su mensaje para la XXV Jornada Mundial de la Juventud, 25 aniversario de la Primera Jornada instituida por el papa Juan Pablo II, retoma el tema de su primera carta a los jóvenes: el relato del encuentro de Jesús con el joven rico, en Marcos 10, 17-22. Les hace ver que:

> [El encuentro de Jesús con este joven] expresa de manera eficaz la gran atención de Jesús hacia los jóvenes, hacia ustedes, hacia sus ilusiones, sus esperanzas, y pone de manifiesto su gran deseo de encontrarse personalmente y de dialogar con cada uno de ustedes. De hecho, Cristo interrumpe su camino para responder a la pregunta de su interlocutor, manifestando una total disponibilidad hacia aquel joven que, movido por un ardiente deseo de hablar con el «Maestro bueno», quiere aprender de Él a recorrer el camino de la vida. Con este pasaje evangélico, mi Predecesor quería invitar a cada uno de vosotros a desarrollar el propio coloquio con Cristo, un coloquio que es de importancia fundamental y esencial para un joven.[32]

PARTE 2

SER MISIONERO JOVEN

La presencia de Dios en el caminar y en la vida de los jóvenes es un llamado para que sean protagonistas de su plan de salvación, para que descubran su identidad de hijos de Dios y respondan comprometiéndose con el proyecto que tiene para su pueblo.

—Consejo Episcopal Latinoamericano, *Civilización del Amor, Tarea y Esperanza*

2.1 EL CÍRCULO PASTORAL COMO METODOLOGÍA PARA LA MISIÓN

El modelo de evangelización en la Misión Bíblica Juvenil parte de la experiencia de vida de los jóvenes y fomenta su desarrollo humano y su vivencia como comunidad cristiana. Utiliza el Círculo Pastoral como metodología para promover un proceso continuo de praxis cristiana, como lo usó Jesús en su vida y su acción pastoral. Es el método que usa el Instituto Fe y Vida en todos sus proyectos de formación y pastoral.

El Círculo Pastoral empieza al reafirmar el *ser* de cada joven, con su originalidad, sus dones y su ser miembro de una comunidad de fe. Motiva a los jóvenes a aceptarse a sí mismos y a reconocer su dignidad como hijos e hijas de Dios. Los ayuda a *ver* la realidad de su vida desde distintas perspectivas y a *juzgarla* a la luz del evangelio y las enseñanzas de la Iglesia. Los motiva a *actuar* para llevar a cabo una praxis cristiana y a *evaluar ésta* periódicamente para reforzarla o mejorarla.

El Círculo se cierra y vuelve a empezar al *celebrar* la vida y la fe. La celebración revitaliza y fortalece al joven y a la comunidad para continuar su acción pastoral con espíritu de fraternidad y de solidaridad cristiana. A continuación se presentan los pasos del Círculo Pastoral como se promueven en esta Misión.

Ser

En la Misión se consideran tres dimensiones en el ser del joven, como miembro de la Iglesia:

- Ser persona individual y única, creada a imagen y semejanza de Dios.

- Ser persona en proceso continuo de desarrollo humano y crecimiento cristiano.

- Ser persona en una comunidad de fe, desde donde realiza su vocación.

También se refiere a ser miembros de una comunidad eclesial juvenil, que vive su compromiso en la Iglesia, como comunidad de comunidades. Así, la pequeña comunidad de siempre comprende su ser y su acción, en relación con otras comunidades eclesiales.

Ver

La razón principal de pertenecer a una pequeña comunidad de jóvenes es tener una comunidad donde crecer en la fe y desde la cual hacer presente el reino de Dios en la sociedad. Para que esto suceda, es necesario ver las cinco dimensiones de la vida bajo la perspectiva del evangelio:

- *El proceso de madurez como persona*, su sicología, sus etapas de desarrollo, su personalidad, sus valores y sus actitudes.

- *Las relaciones interpersonales del joven* con la familia, el novio/a, las amistades, el vecindario y los compañero/as de trabajo o escuela.

- *La situación cultural de los jóvenes* en relación con su cultura de origen, la cultura dominante del país donde son minoría o migrantes, la cultura juvenil y la cultura postmoderna con su inserción en el proceso de globalización cultural.

- *El papel de los jóvenes en la sociedad* en relación con el trabajo, la economía, la educación, la acción política y la lucha por los derechos humanos y la justicia social.

- *La realidad religiosa de los jóvenes* con sus creencias, prácticas, espiritualidad, tradiciones y educación en la fe, como iglesia llamada a hacer presente a Dios en el mundo.

Ver la realidad en estas cinco dimensiones se logra al tomar conciencia del acontecer diario, al reflexionar sobre aspectos clave de la vida, al entender el medio ambiente y al realizar un análisis crítico de los sistemas y estructuras sociales que gobiernan a la sociedad. Para lograrlo hay que identificar lo siguiente:

- Las fuerzas positivas para el desarrollo humano, crecimiento cristiano y acción pastoral de los jóvenes.

- Las necesidades pastorales que se generan en diferentes aspectos de la vida.

- Los desafíos que enfrentan los jóvenes en su realidad actual.

- Las dolorosas cruces que hay que vivir con espíritu cristiano.

MBJ

- Las causas que originan fuerzas positivas y destructivas; las necesidades pastorales; los desafíos y las cruces.

- Los aportes de las ciencias humanas y sociales para diagnosticar la realidad.

En el modelo de Misión, "La Palabra se hace joven con los jóvenes", se abarcan estas dimensiones a partir de la temática propia de cada Misión subsecuente. De esta manera los jóvenes amplían sus horizontes y pueden reflexionar críticamente sobre su vida, desde una variedad de ángulos que los ayudan a fortalecer y a vivir su fe.

Juzgar

Como seguidores de Jesús debemos hacer un juicio crítico de la realidad desde la perspectiva de Jesús. Necesitamos analizar los hechos sencillos de la vida diaria y los acontecimientos sobresalientes; los mensajes de las personas y de los medios de comunicación social; las fuentes de vida y las causas de muerte en la sociedad; las oportunidades para vivir mejor y las consecuencias de decisiones equivocadas.

Hay que juzgar todas estas realidades con los ojos de la fe para descubrir lo que Dios dice a través de ellas. Hay que reconocer la mutua influencia entre la realidad y nosotros, y tomar conciencia de cómo estamos respondiendo y cómo podemos responder mejor al plan de amor de Dios.

La Misión realiza el juzgar mediante una serie de reflexiones sobre la Sagrada Escritura y enseñanzas de la Iglesia, que ayudan a profundizar en los fundamentos de la fe cristiana, a ver la vida con los criterios del evangelio, descubrir el llamado de Dios y discernir el camino a seguir. Para juzgar a la luz de la fe es necesario:

- Identificar la realidad o situación a juzgar.

- Preguntarse cómo vería Jesús esta situación y cómo respondería a ella.

- Encontrar en las Escrituras la orientación para responder a la realidad o problema.

- Conocer la posición del Magisterio de la Iglesia al respecto.

- Sintetizar la perspectiva de Jesús y de la Iglesia.

- decidir, en espíritu de oración como corresponde actuar al discípulo de Jesús, individual y comunitariamente.

Actuar

Ser discípulo de Jesús supone actuar al estilo de él (Jn 2, 6); la fe sin obras es una fe muerta (Sant 2, 14). Implica orientar la vida con los valores de Jesús animados por una espiritualidad cristiana y anunciar la llegada del reino de Dios en Jesucristo, con palabras y obras, preparando así a las personas para que acepten este don de Dios. Conlleva un estilo de vida dirigido por el evangelio y un conjunto de acciones encaminadas a hacer a Dios presente en la vida diaria, así como en las circunstancias extraordinarias de la vida.

La Misión fomenta el actuar cristiano en los jóvenes misioneros, los participantes y los adultos que los organizan y asesoran. Mediante la reflexión y la oración, los jóvenes se motivan a extender el reino de Dios en su ambiente, a evangelizar la cultura y la sociedad en que viven, y a ejercer un apostolado particular de acuerdo con su vocación.

El actuar debe llevar a la transformación o eliminación de situaciones contrarias al evangelio. Implica dos momentos: (a) planear una acción personal o comunitaria y (b) hacerla realidad. Al planificarla conviene pensar en el tipo de acción necesaria:

- *Acción creadora,* cuando se trata de hacer una acción nueva o desarrollar un proyecto pastoral desde el inicio.

- *Acción transformadora,* cuando se requiere cambiar una actitud, una conducta o una situación con base en una evaluación o análisis crítico.

- *Acción solucionadora,* cuando trata de resolver un problema, necesidad o conflicto.

Evaluar

Evaluar es clave para confirmar, corregir o mejorar la praxis cristiana o acción pastoral y responder mejor a los desafíos provenientes de la realidad. Esta evaluación se realiza a lo largo de todo el proceso.

En cada sesión bíblica hay una actividad en la que los participantes revisan su proceso personal durante ella. También hay instrumentos para evaluar las sesiones por el Equipo de Jóvenes Misioneros en cada sede.

El Equipo Central evalúa todas las actividades formativas. Al final del proyecto, junto con los Equipos de Jóvenes Misioneros, realiza una reflexión sobre la acción pastoral a lo largo de toda la Misión.

La evaluación continua sirve para hacer correcciones y ajustes que incrementen los frutos de la acción pastoral. La reflexión evaluadora final ayuda a tomar consciencia del impacto pastoral de la Misión y a identificar los aspectos que pueden mejorarse en Misiones subsecuentes y otras acciones pastorales semejantes.

Los Equipos Centrales pueden también llevar a cabo una *evaluación a mediano y/o largo plazo,* esto es, meses o años después de su implementación. Su propósito es conocer el impacto de este tipo de Misión en la vida y la pastoral de la iglesia joven.

Celebrar

Ser discípulo misionero entre la juventud, profeta de esperanza en su medio, es una gracia de Dios. Este don presupone una disposición interior por medio de la oración, y lleva a una expresión gozosa del proceso de conversión y del compromiso con la misión de Jesucristo.

A lo largo de la Misión se contemplan momentos de oración y celebraciones de fe en comunidad, unas veces como jóvenes misioneros, otras con los participantes. Todas estas dimensiones facilitan la acción del Espíritu Santo mediante la oración personal y comunitaria, brindando a los jóvenes una vivencia espiritual profunda.

Al inicio y clausura de la Misión, las celebraciones se realizan en un ambiente litúrgico, de preferencia en la Eucaristía dominical. De esta manera, la comunidad se convierte en signo e instrumento de conversión personal y crecimiento comunitario, al tiempo que los jóvenes celebran su compromiso como discípulos misioneros de Jesús.

A continuación se mencionan los cuatro tipos de celebración planeados para esta Misión:

- *La celebración de envío a la Misión*, ofreciendo una experiencia litúrgica aunada al inicio de su implementación.

- Cada sesión bíblica corona sus reflexiones con una *celebración de fe* que favorece la interiorización del mensaje de Jesús, con un ritual que anima a la conversión y al compromiso de vida. La comunidad da gracias por los dones recibidos, pide perdón por sus fallas e implora el auxilio divino para su vida.

- *La celebración de clausura de la Misión* también se da en el marco de una liturgia. Da sentido al término de la Misión y fortalece para la vida espiritual y la acción apostólica en la vida cotidiana.

- *Las convivencias* al terminar cada sesión bíblica y después de la Liturgia de Clausura, brindan la oportunidad de festejar la nueva vida adquirida en la Misión, a través de la socialización de todas las personas involucradas en ella.

En resumen, el Círculo Pastoral ayuda a *ser* como Jesús, a *ver* la realidad desde su perspectiva, a *juzgar* la realidad con base en su evangelio y las enseñanzas de la Iglesia, a *actuar* para transformar la realidad al estilo de Jesús, a *evaluar* la manera de colaborar con su misión y a *celebrar* para dar gracias a Dios por sus dones. Así, al vivir el Círculo Pastoral de manera continua y progresiva, se fortalece la fe y la voluntad para continuar la misión de Jesús en la historia.

2.2 El liderazgo compartido en la implementación de la Misión

El enfoque y los contenidos espirituales, teológicos, eclesiológicos y pastorales de la Misión —reflexionados con procesos adecuados— ayudan a adolescentes y jóvenes a desarrollarse como auténticos cristianos. Los frutos de la Misión dependen en gran medida de que los jóvenes misioneros puedan facilitar un ambiente comunitario para acoger la Palabra de Dios y responder a las motivaciones del Espíritu en su vida personal y comunitaria.

Cuando los jóvenes descubren el llamado de Jesús a ejercer un liderazgo en la Iglesia, pueden asumir esta responsabilidad con éxito. De ahí la importancia de utilizar un enfoque de liderazgo compartido en la Misión.

El liderazgo de la juventud cristiana

Cada una de las *cualidades humanas* de un líder son propias de un buen cristiano y *todos* los jóvenes las necesitan, tanto en su juventud como para su vida adulta. Todo buen líder tiene las siguientes características:

- *Es inteligente,* capaz de observar críticamente su realidad, encontrar soluciones adecuadas para mejorarla y responder con creatividad a los desafíos que se le presentan.

- *Desarrolla los carismas y dones* que le permiten llevar un liderazgo de servicio.

- *Posee una visión que lo inspira y lo mueve a actuar,* lo motiva a compartir su visión con otros y logra que otras personas se unan a la causa.

- *Genera confianza* gracias a su integridad personal, habilidad para escuchar y disponibilidad para ayudar.

- *Guía a otras personas,* ilumina el camino, las acompaña en las buenas y en las malas, y las apoya en momentos difíciles.

Todo bautizado debe ejercer un liderazgo cristiano y así colaborar con Dios en la historia de salvación. Ser líder al estilo de Jesús es:

- *Compartir la visión del Padre para la humanidad* como la meta hacia dónde ir y hacia dónde llevar a las personas que Dios nos confía.

- *Reconocer que el único y verdadero líder es Jesús,* que él es "el camino, la verdad y la vida" (Jn 14, 6), que nos guía a todos a nivel personal y comunitario.

- *Tener el espíritu del buen pastor,* unos respecto a otros en la comunidad de fe y hacia los demás.

- *Actuar como miembros del Cuerpo de Cristo,* en el ambiente en que vivimos, invitando a otras personas a hacer lo mismo con nuestro testimonio de vida, palabras y hechos.

- *Abrirse a la obra del Espíritu Santo,* quien da a cada persona y comunidad, los dones y carismas necesarios para crecer y cumplir su misión.

- *Confiar en la oración, la reflexión y la acción personal y comunitaria,* a través de las cuales Dios muestra el camino del crecimiento personal y la construcción de su Reino.

- *Ser capaz de acompañar una comunidad de fe,* valorando a cada persona, respetando su proceso de vida y buscando el bien de todos.

- *Facilitar reflexiones críticas* que, partiendo de la realidad de la vida, iluminadas con la Palabra de Dios y las enseñanzas de la Iglesia, permitan encontrar formas de construir la Civilización del Amor.

Los contenidos y enfoques de la Misión generan en los jóvenes procesos ricos de desarrollo personal, crecimiento espiritual, comunión eclesial y evangelización misionera. En los equipos misioneros, fortalecen y nutren su vocación cristiana, en unión con Jesús, maestro y profeta del Reino.

El liderazgo compartido en la Misión

Llevar la Palabra de Dios a millones de jóvenes requiere enfoques metodológicos y de liderazgo coherentes con este esfuerzo. Para que las sesiones bíblicas generen los procesos de conversión personal y transformación social inherentes para llevar la Palabra de Dios a la práctica, se requiere un liderazgo compartido y corresponsable; una preparación espiritual profunda y una capacitación para ejercer su liderazgo.

Al planificar y llevar a cabo la Misión, el liderazgo compartido de todos los actores se pone en práctica. Cada miembro de los dos equipos de la Misión, ejerce su rol con espíritu colaborador y responsable, facilitando una Misión fluida, en la que todos y cada uno, crecen en su fe, espiritualidad y habilidad pastoral, para realizar una acción evangelizadora eficaz.

Los organizadores invitan a un grupo de formadores y asesores a formar el Equipo Central. Este equipo convoca a un grupo de jóvenes para servir como misioneros que fungirán como evangelizadores o anfitriones.

Los evangelizadores proclaman la Palabra de Dios y facilitan la oración y la reflexión. Los anfitriones crean un ambiente acogedor en nombre de Jesús y auxilian a los evangelizadores. Los jóvenes participantes, organizados en pequeños grupos, también ejercen un liderazgo compartido al facilitar algunas actividades de las sesiones bíblicas.

El liderazgo compartido permite lograr las metas de la Misión. Toda persona, sea del Equipo Central, joven misionero/a o participante, colabora para que la Misión dé fruto. Su acción conjunta genera una dinámica que facilita la obra del Espíritu Santo en todos y cada una.

Los dos evangelizadores trabajan como pareja, al igual que los dos anfitriones. Estas parejas colaboran estrechamente, tanto al preparar las sesiones, como durante ellas. La armonía en sus acciones y el apoyo mutuo en su liderazgo, son esenciales para que la Buena Nueva se encarne en los participantes y se forme una auténtica comunidad de fe durante la Misión.

2.3 Desarrollo humano y crecimiento cristiano del joven

El trabajo pastoral con jóvenes es un privilegio; quienes hemos tenido la fortuna de compartir espacios de fe con ellos, hemos gozado al verlos desarrollar su potencial y nos sentimos felices al poder compartir intereses particulares y enfrentar con ellos, los retos propios de su edad. Con el fin de ayudar a los jóvenes misioneros y a los adultos que servirán como asesores y que no están acostumbrados a trabajar con jóvenes, se ofrece a continuación un resumen del proceso de desarrollo humano y crecimiento cristiano a lo largo de la infancia y la juventud.[33]

El proceso de desarrollo humano y crecimiento cristiano sucede en el marco de las relaciones de la persona consigo misma, con su familia, con su entorno socio-cultural y con Dios. Se da lentamente, al ir integrando a lo largo de la vida las etapas anteriores y cambiar gradualmente el énfasis hacia la etapa siguiente. En este proceso, con frecuencia hay que retomar elementos típicos de una o varias de las etapas anteriores, para trabajarlos, desarrollarlos e integrarlos a la vida.

Las características del desarrollo presentadas en cada fase no son las únicas que se dan en ella ni son necesariamente exclusivas de dicha fase. Aquí se presentan, de manera breve, las tres etapas principales del proceso de madurez humana del joven: primera infancia y niñez, preadolescencia y adolescencia, y juventud.

Instrucciones para leer esta sección

Para que la lectura de esta sección sea relevante a los jóvenes misioneros, y los ayude en su proceso de madurez humana, se recomienda leer cada una de las etapas, pensando en su propia vida y responder a las preguntas que se indican al final de cada etapa. En la Jornada de Capacitación hay un tiempo para compartir los aspectos más relevantes de esta reflexión.

Primera infancia y niñez

Fase 1: Soy lo que recibo (0 - 1 año)

Observemos a un bebé de esta edad, está ávido de recibir, abierto a la vida; come, bebe, toma y aprieta fuertemente; es todo receptividad. Cuando no se le da lo que necesita, llora pidiéndolo desesperadamente. Esto es señal de salud para él. Lo opuesto, es signo de enfermedad y aun de muerte.

Esta fase nos dispone a recibir amor, aceptar dones y pedir con sencillez lo que se necesita para vivir. Cuando desarrollamos e integramos estas capacidades podemos reconocer nuestra pequeñez, abrirnos al cariño de otras personas y al amor de Dios; pedir ayuda cuando la necesitamos y estar agradecidos de los dones recibidos. De lo contrario, tendemos a ser egoístas, a exigir que toda la gente gire a nuestro alrededor, y a tener una necesidad excesiva de atención. Esto puede cerrarnos a otras personas y dificultar que recibamos sus aportes con espíritu de acogida y gratitud.

Fase 2: Soy lo que deseo y lo que descubro (1 - 3 años)

Recordemos cómo son los niños a esta edad. Todo es nuevo para ellos, todo lo admiran y contemplan. Les encanta tocar y examinar las cosas, probar alimentos y explorar su ambiente. *En esta fase aprendemos a descubrir lo nuevo y hermoso de la vida, a comunicarnos por medio del lenguaje y a gozar con la contemplación de lo bello.*

Cuando desarrollamos e integramos estas capacidades podemos expresar nuestros sentimientos; buscar la compañía de las personas; conocer la belleza de lo que nos rodea como algo que proviene de Dios y por lo cual estar agradecidos. Esto nos permite ver el mundo que nos rodea con nuevos ojos, descubrir cosas que no habíamos visto, gozar con esos descubrimientos y practicar la contemplación como un medio de oración. De lo contrario, podemos tener dificultades para expresar nuestros pensamientos y sentimientos, y carecer de iniciativa y motivación para impulsar nuestro proceso de madurez. Además, podemos ser insaciables en nuestros deseos y estar eternamente insatisfechos.

Fase 3: Soy lo que me imagino y lo que creo (4 - 6 años)

Aparentemente esta fase es más tranquila que la anterior, pero en realidad no es así, gran parte de la actividad sucede internamente: en la imaginación, donde nace la creatividad y el deseo de experimentar cosas nuevas. *En esta fase nuestra habilidad de socializar con otros niños mejora, podemos imaginarnos situaciones ideales y empezamos a usar nuestra creatividad.*

Cuando desarrollamos e integramos estas capacidades podemos relacionarnos íntimamente con Dios; estar abiertos a relaciones enriquecedoras; ver la vida con ilusión y esperanza; ser creativos y espontáneos en la vida diaria, y visualizar cómo hacer realidad nuestros ideales. De lo contrario, podemos tener dificultades para aventurarnos por caminos diferentes, encontrar un sabor nuevo a la rutina diaria y aceptar cambios en la vida, por necesarios que sean.

Fase 4: Soy lo que aprendo y lo que socializo (7 - 11 años)

A esta edad los chicos/as tienen una mente ávida de conocimientos, aprenden haciendo y abren su círculo social. Son competitivos, aman las reglas de juego, aunque les gusta cambiarlas. *En esta fase ampliamos nuestras relaciones sociales, queremos aprender nuevas cosas y desarrollar los dones y habilidades que descubrimos.*

Cuando desarrollamos e integramos estas capacidades podemos relacionarnos con más diversidad de personas, gozar con experiencias y conocimientos nuevos, y usar nuestros dones y habilidades con sabiduría. Todo esto es fundamental para vivir el evangelio en comunidad. De lo contrario, tendemos a encerrarnos en un grupo social pequeño, a tener miedo de abrirnos a nuevas relaciones, a no desarrollar nuestros dones y a no poner en práctica lo que nos proponemos.

Preadolescencia y adolescencia

Fase 5: Soy lo que cambio y lo que comprendo (12 - 13 años)

En esta fase se dan cambios físicos y sicológicos muy fuertes; se toma conciencia de que ya no se es niño; se inicia una búsqueda de la identidad personal y el propósito de la vida; se empieza a vislumbrar horizontes más amplios sobre sí mismo y otras personas, y se vive una combinación de atracción y rechazo hacia el sexo opuesto. Es una fase de aventura y cambios, de pequeños proyectos de servicio social y apostolado que parten de la propia iniciativa. *En esta fase adquirimos la habilidad de recoger lo aprendido en la niñez, tomamos conciencia de los cambios que experimentamos y empezamos a conocernos a nosotros mismos.*

Cuando desarrollamos e integramos estas capacidades en nuestra vida, podemos comprender, asumir y valorar nuestras experiencias e iniciativas; percibir los cambios como fuente de crecimiento, y vernos como seguidores de Jesús y apóstoles en nuestro medio ambiente. De lo contrario, es más posible desarrollar una personalidad insegura e influenciable por el juicio de otros; enfrentar los cambios con temor; ser volátiles e incapaces de estar al servicio de los demás.

Fase 6: Soy lo que siento y lo que me supero (14 - 15 años)

En esta fase continúa el desarrollo físico y sicológico iniciado en la fase anterior, pero ahora es vital desarrollar la autonomía. Esto origina un cambio en la manera de ser, pensar y actuar, que contribuye a la formación de la identidad y la personalidad. Debido a esto, se experimenta un choque con lo aprendido anteriormente; se sienten con intensidad las crisis y transiciones que acompañan el crecimiento físico, emocional e intelectual; se busca una relación con los padres que permita forjar la individualidad, y hay una fuerte preocupación por ser aceptados por los compañeros.

En esta etapa aprendemos a ser nosotros mismos; a aceptar y entender los cambios que la vida lleva consigo, y a superar crisis y transiciones. Cuando desarrollamos e integramos estas capacidades, nuestra personalidad se fortalece y podemos sentar las bases de la autonomía necesaria para desarrollarnos como personas al tiempo que mantenemos una interdependencia sana con la familia y la comunidad. Además, los valores del evangelio y los principios morales enseñados por la Iglesia, pueden pasar a ser parte integral nuestra, conforme superamos las dudas y crisis propias de la edad. Esto nos permite ver la vida como un proceso evolutivo donde los cambios y las crisis tienen un impacto positivo en el desarrollo.

De lo contrario, corremos el riesgo de tener una personalidad débil, y de depender sicológicamente de los padres y de las opiniones de los compañeros. Otros efectos de un desarrollo deficiente son cambios continuos de humor, inestabilidad, derrotarse ante las dificultades y dejarse llevar por los sentimientos, sin sopesarlos reflexivamente.

Preguntas para reflexionar sobre esta etapa

- ¿Qué hechos de mi vida impactaron más mi personalidad y mi desarrollo humano? ¿Cómo se nota ese impacto en mi vida actual?

- ¿Qué hechos marcaron mi relación con Dios? ¿Cómo lo hicieron?

- ¿Qué ideales humanos y espirituales tenía o tengo para la siguiente etapa de mi vida, como jóvenes?

Juventud

Fase 7: Soy lo que pienso y lo que decido (16 - 18 años)

En esta fase se goza de una libertad creciente; se forja la personalidad mediante la reflexión sobre el mundo, los demás y uno mismo; se amplían y profundizan las relaciones con los amigos; se elige seguir estudiando y/o trabajar. *En esta fase empezamos a descubrir el sentido de la vida, a integrar nuestra escala de valores, a fortalecer la voluntad y a tomar decisiones importantes sobre lo que queremos ser y hacer como adultos.*

Cuando desarrollamos e integramos estas capacidades podemos escoger con más intencionalidad nuestras amistades; optar libremente por seguir a Jesús y por participar en una comunidad de fe, y dirigir nuestra conducta y actitudes con los valores asumidos. A partir de esta etapa necesitamos evaluar las decisiones del pasado bajo las nuevas luces y experiencias de la vida, y buscar nuevos caminos cuando es necesario. De lo contrario, podemos ser muy vulnerables a las influencias negativas de la sociedad, quedarnos sin dar dirección a nuestra vida; ser irresponsables en el uso de nuestra libertad; evitar compromisos sólidos sobre nuestro desarrollo humano y crecimiento cristiano.

Fase 8: Soy mi identidad, vocación y personalidad (19 - 22 años)

En esta fase la persona toma la vida en sus manos con espíritu de alegría, trabajo, valentía y esperanza. Reconoce sus cualidades y límites, y se acepta a sí misma; se siente satisfecha, y desea continuar su desarrollo; ve objetivamente las situaciones; respeta los derechos y las necesidades de los demás, y puede establecer relaciones más profundas. Camina por el mundo con seguridad, reconociéndose como ciudadana del mundo y agente activa de la historia. *En esta fase podemos establecer relaciones más íntimas, trabajar más eficazmente e identificar el estado civil, profesión y estilo de vida que queremos llevar.*

Cuando desarrollamos e integramos estas capacidades podemos llevar relaciones interpersonales estables; asumir nuestro compromiso bautismal y ser coprotagonistas de la historia con Dios. De lo contrario, podemos mantenernos en una búsqueda inquieta y continua de identidad; tener miedo de entrar al mundo adulto de la responsabilidad y el compromiso, y no descubrir nuestro lugar y misión en el mundo y en la historia.

Fase 9: Soy una persona adulta joven integrada (22 - 26+ años)

En esta fase se realiza una síntesis de todas las fases anteriores y puede buscarse conscientemente la realización personal y el bien de la sociedad. A esta edad se puede ser agente de cambio y renovación, comprometidos seriamente en la creación de un mundo mejor y una Iglesia auténtica. Es una fase para ampliar horizontes, enriquecer la personalidad y profundizar sobre nuestra vocación y misión en el mundo. *En esta fase podemos ver la estabilidad y los cambios en la vida como fuente de crecimiento personal y signos de que, en esa realidad, Dios nos llama a realizarnos como personas y como cristianos.*

El desarrollo de estas capacidades continúa a lo largo de la vida como adultos, según el estado de vida elegido y las decisiones que se toman. Esto permite ser profetas de esperanza donde quiera que estemos y para todas las personas que Dios pone en nuestro camino, desde las más cercanas hasta las que sólo necesitan nuestro amor, compasión y servicio ocasional. Si no desarrollamos ni integramos las capacidades propias de esta fase podemos quedarnos con una visión muy corta de nuestra vocación humana y nuestra misión cristiana. Esto limita nuestro desarrollo personal y nos dificulta colaborar con Dios en la historia de salvación.

Preguntas para reflexionar sobre esta etapa

- ¿Qué hechos de mi vida impactaron más mi personalidad y mi desarrollo humano? ¿Cómo se nota ese impacto en mi vida actual?

- ¿Qué hechos marcaron mi relación con Dios? ¿Cómo lo hicieron?

- ¿Qué ideales humanos y espirituales tengo para mi vida, como adulto/a?

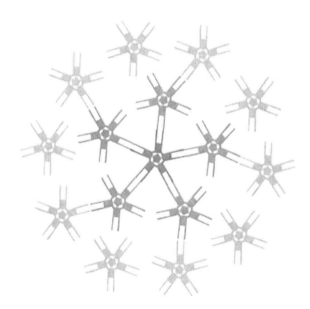

MBJ

LA MISIÓN EN ACCIÓN

Conscientes y agradecidos porque el Padre amó tanto al mundo que envió a su Hijo para salvarlo, queremos ser continuadores de su misión, ya que ésta es la razón de ser de la Iglesia y la que define su identidad más profunda.

—Consejo Episcopal Latinoamericano
Aparecida, Documento conclusivo

3.1 PROCESO DE IMPLEMENTACIÓN DE LA MISIÓN

La implementación de la Misión tiene tres etapas, cada una con varios pasos. Su tiempo de preparación depende de la extensión del territorio en el que se realiza la Misión.

Etapa 1: Preparación inicial

La preparación inicial consta de cuatro pasos:

1. Acogida de la Misión

La idea de implementar la Misión puede originarse en cualquier persona interesada en llevar la Palabra de Dios a los jóvenes. Pueden ser jóvenes líderes en la pastoral juvenil, formadores en la fe, sacerdotes, agentes de pastoral laicos, etcétera. Sin embargo, para que esto suceda es indispensable que alguna/s persona/s que amen la Palabra y estén capacitadas, asuman el compromiso de organizarla. A estas personas se les llama *líderes organizadores.*

2. Formación del Equipo Central

Las funciones del Equipo Central son: organizar y coordinar la Misión; conducir la capacitación de los jóvenes misioneros, y fomentar su protagonismo. Este equipo se compone por adultos que sirven como formadores y asesores, bajo la coordinación del líder organizador. Fomentando el protagonismo de los jóvenes en la acción misionera.

3. Estudio de los materiales y planificación

El Equipo Central estudia los dos *Manuales* —el del Equipo Central y el del Equipo de Jóvenes Misioneros— al igual que el *Cuaderno* y el *Diario de la Misión.* Las cuatro publicaciones son necesarias para comprender el proceso, la metodología y contenidos de la Misión, así como el rol particular que toca desempeñar a cada miembro del equipo.

El Equipo Central planifica la Misión y la calendariza de manera general. Deja a cada sede su propia calendarización local.

4. Identificación de posibles jóvenes misioneros

El Equipo Central identifica a los jóvenes con potencial de servir en la Misión como evangelizadores o anfitriones. Organiza una convocatoria para darles a conocer el proyecto, afirmar su vocación como discípulos y apóstoles de Jesús, y motivar su compromiso con esta Misión en particular.

Etapa 2: Capacitación de los jóvenes misioneros

La capacitación de los jóvenes misioneros tiene cuatro aspectos:

1. Invitación a los jóvenes misioneros

A través de la invitación de algún miembro del Equipo Central, los jóvenes misioneros reciben el llamado de parte de Jesús a ser portadores de la Palabra de Dios a sus compañeros. Este hecho marca el inicio de su capacitación, dado que sigue el ejemplo de Jesús, quien invitó a sus discípulos uno por uno, con el fin de motivarlos y formarlos para su misión de extender el reino de Dios. La invitación se formaliza durante la Convocatoria hecha por el Equipo Central, en la que los jóvenes misioneros reciben información sobe la Misión y se comprometen a capacitarse y a servir en un equipo.

2. Vivencia de la Misión y discernimiento de roles

Los jóvenes misioneros viven la Misión como una experiencia evangelizadora, realizada en un retiro de dos días. En él pasan por las cuatro sesiones bíblicas, tal y como las conducirán después y utilizan el *Diario de la Misión,* para escribir sus vivencias. Después disciernen su llamado a servir como evangelizadores o anfitriones.

Durante el proceso de discernimiento, los jóvenes reciben el *Cuaderno de la Misión* y el *Manual para el Equipo de Jóvenes Misioneros,* que serán los instrumentos que utilizarán en su acción pastoral. Antes de la Jornada de Capacitación deberán estudiar bien ambas publicaciones y escribir sus preguntas sobre el proceso y el contenido de cada sesión, así como sobre su rol personal y el de los otros miembros del equipo misionero.

3. Jornada de Capacitación

La Jornada de Capacitación ofrece formación teórica y práctica para la Misión. En ella se enfatiza la mística de la Misión y se reflexiona sobre la vocación y compromiso del joven misionero; se definen los roles de evangelizador y del anfitrión; se forman los equipos misioneros, y se organizan para realizar la preparación inmediata de las cuatro sesiones y su participación en la Liturgia de Envío.

4. Preparación para conducir las sesiones bíblicas

Los pasos anteriores —la invitación personal como la hizo Jesús con sus discípulos; la Vivencia de la Misión; el estudio del *Cuaderno* y del *Manual,* y la Jornada de Capacitación— son todas experiencias formativas para los jóvenes misioneros. La preparación de cada sesión; la Liturgia de Envío a la Misión; la conducción de las cuatro sesiones bíblicas; su evaluación, y la Liturgia de Clausura de la Misión, completan el proceso de formación en la acción realizado a través de este proyecto, centrándose en la misión de llevar la Palabra de Dios a los jóvenes participantes en la Misión.

Etapa 3: Implementación de la Misión

La implementación de la Misión consta de dos liturgias: la que la inaugura y la que la clausura, y la conducción de las cuatro sesiones de la Misión:

1. Liturgia de Envío

El rito de envío se realiza durante una liturgia, de preferencia una Eucaristía dominical. El sacerdote entrega a los jóvenes misioneros la Biblia y la Cruz de la Misión que se entronizarán en el altar de cada sede y las cruces personales que los distinguirán como misioneros. También presenta al Equipo Central y comisiona a los asesores a apoyar a los jóvenes en su labor. La comunidad de fe es testigo del envío e invitada a mantenerse en oración durante la temporada de la Misión y a participar en la celebración de clausura.

2. Invitación a participar en la Misión

Cada Equipo de Jóvenes Misioneros hará una lista común con los nombres de amigos, compañeros del colegio o trabajo, familiares y conocidos que desea invitar a la Misión. Decide el número máximo a participar en su sede, el cual se recomienda que sea entre 16 y 20 jóvenes, si los misioneros son adolescentes, y hasta 40, si son jóvenes adultos. Otros aspectos a considerar son el nivel de experiencia de los jóvenes misioneros y el tamaño del local en el que se realizará la Misión.

Si la lista es más larga que la capacidad de la sede, cada joven pondrá en orden de prioridad a sus candidatos y se equilibrará el número de invitados de cada uno. Si los primeros invitados no aceptan participar, se continuará con el resto de la lista. También es posible referirlos a otras Misiones que tendrán lugar cerca de donde viven. Además, se pueden organizar avisos en las Misas, colocar pósters, volantear, anunciar en la estación de radio local, a través del sitio web, en un *blog,* correo electrónico y otros medios. También se podrán organizar otras Misiones en meses futuros, si el equipo misionero puede hacerlo.

3. Conducción de las cuatro sesiones de la Misión

Los Equipos de Jóvenes Misioneros leen los pasajes de la Sagrada Escritura en los que se basa cada sesión, oran con ellos y los ponderan en su corazón. También reflexionan sobre su vida a la luz de ellos, para hacer propio su mensaje.

Con esta experiencia vital de la Palabra de Dios, siguen el plan y el proceso para cada sesión en el *Cuaderno de la Misión:* las actividades a desarrollar; los contenidos a presentar; las reflexiones a facilitar; los materiales necesarios, y las responsabilidades de cada evangelizador/a y anfitrión/a. Se recomienda entronizar y utilizar *La Biblia Católica para Jóvenes,* en su edición especial de la Misión o la *Biblia de América*, que tiene el mismo texto bíblico. Los pasajes bíblicos que se usan para orar y reflexionar están transcritos en el *Cuaderno* y el *Diario de la Misión* para que todos tengan la misma versión.

Las tres primeras sesiones pueden estar abiertas a nuevos participantes, si la sede de la Misión tiene cupo y el equipo misionero puede incluir a más jóvenes. En la última sesión, se invitará a los participantes a continuar su crecimiento en la fe en una comunidad eclesial. Los jóvenes evangelizadores ofrecerán las opciones disponibles, con la posibilidad de que el grupo que participó en la Misión se transforme en comunidad de fe. Al finalizar cada sesión, habrá un pequeño refrigerio.

Después de cada una de las cuatro sesiones, los jóvenes misioneros y sus asesores deberán evaluarlas, utilizando los formatos que se presentan al final del *Cuaderno de la Misión.* Hay que hacer esta evaluación inmediatamente, para poder ser fieles a lo que sucedió. Al terminar toda la Misión, tendrán que sumarizar las evaluaciones para presentar el reporte de la sede de la Misión al Equipo Central.

4. Liturgia de Clausura y convivencia

La clausura de la Misión tiene dos momentos:

- **La Liturgia de Clausura.** El término de la Misión se celebra en una Eucaristía dominical, en la que participan todos los jóvenes misioneros y los jóvenes que la vivieron en una parroquia o área determinada. Es una celebración alegre, juvenil, participativa y festiva, donde se ofrecen los frutos de cada sede de la Misión y los jóvenes misioneros, junto con el sacerdote, envían a los participantes a vivir la misión en la vida diaria.

- **La convivencia.** Al terminar la celebración eucarística, las personas que participaron en la Misión al igual que la comunidad parroquial, son invitadas a una convivencia. Es una oportunidad para socializar, gozar juntos y hacer nuevas amistades.

5. Evaluación e informe final

Al Equipo Central le corresponde evaluar las actividades formativas según se indica en el *Manual para el Equipo Central.* A los jóvenes misioneros les corresponde evaluar la conducción de las sesiones bíblicas para los jóvenes participantes, con el formato presentado en el *Cuaderno de la Misión.* Al final del proyecto, se ha previsto una sesión de reflexión sobre la acción pastoral conjunta.

Se pide que el líder organizador envíe un reporte final al Instituto Fe y Vida, para conocer el nivel de implementación de la Misión; mejorar su trabajo en el futuro, y presentar un informe a las personas e instituciones que subvencionaron el proyecto. Por su lado, el Instituto analizará la retroalimentación y enviará un informe general a quienes enviaron su reporte. De esta manera se cierra el Círculo Pastoral sobre este proyecto.

Diagrama de la implementación de la Misión

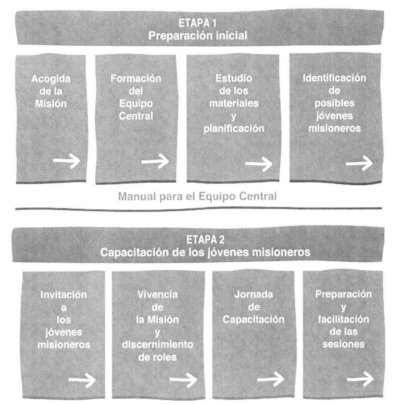

ETAPA 1
Preparación inicial

| Acogida de la Misión → | Formación del Equipo Central → | Estudio de los materiales y planificación → | Identificación de posibles jóvenes misioneros → |

Manual para el Equipo Central

ETAPA 2
Capacitación de los jóvenes misioneros

| Invitación a los jóvenes misioneros → | Vivencia de la Misión y discernimiento de roles → | Jornada de Capacitación → | Preparación y facilitación de las sesiones → |

Manual para el Equipo de Jóvenes Misioneros

ETAPA 3
Implementación de la Misión

| Liturgia de Envío → | Invitación a participar en la Misión → | "LA PALABRA SE HACE JOVEN CON LOS JÓVENES" → | Liturgia de Clausura y convivencia → | Evaluación e informe final |

Cuaderno y Diario de la Misión

Ejemplo de calendario para planificar la Misión

Pasos	Preparación inicial				Capacitación de los jóvenes misioneros				Implementación de la Misión											
	1	2	3	4	1	2	3	4	1	2	3	4	1	2	3	4	1	2	3	4
Preparación inicial																				
Acogida de la Misión por los organizadores	■																			
Formación del Equipo Central con los formadores y asesores		■																		
Estudio de los materiales y planificación de las actividades			■																	
Identificación de posibles jóvenes misioneros				■																
Capacitación de los jóvenes misioneros																				
Invitación a los jóvenes misioneros					■															
Vivencia de la Misión y discernimiento de roles						■														
Jornada de Capacitación							■													
Preparación del proceso y materiales de la Misión								■	■	■	■	■	■	■	■	■				
Implementación de la Misión																				
Liturgia de Envío													■							
Invitación a participar en la Misión														■	■					
Facilitación de las cuatro sesiones																■	■			
Liturgia de Clausura y convivencia																		■	■	
Evaluación y reporte final																				■

En el sitio web se encuentra una plantilla en Excel para escribir las fechas correspondientes a la planificación local. Es importante dar a conocer a los jóvenes misioneros el calendario local, así como la distribución territorial de las sedes de la Misión. De esta manera, adquirirán una visión global del proceso y la implementación de la Misión que les ayudará ver la importancia de su rol en ella; podrán referir a otros jóvenes a una u otra sede, y se motivará para que en las siguientes Misiones haya más sedes en su centro organizador.

MBJ

3.2 COMPLEMENTARIEDAD DE LAS CUATRO PUBLICACIONES DE LA MISIÓN

Las cuatro publicaciones de la Misión —el *Manual para el Equipo Central,* el *Manual para el Equipo de Jóvenes Misioneros,* el *Cuaderno de la Misión* y el *Diario de la Misión*— están íntimamente relacionados en cuanto a la logística para la implementación del proyecto. Los dos *Manuales* se mantienen constantes a lo largo de todas las misiones; el *Cuaderno* y el *Diario* serán diferentes para cada Misión. La siguiente tabla indica el objetivo, contenidos y destinatarios de estos recursos.

VISIÓN CONJUNTA DE LAS CUATRO PUBLICACIONES			
Publicaciones	**Objetivos**	**Contenido**	**Destinatarios**
Manual para el Equipo Central	Capacitar al Equipo Central	Mística de la Misión Proceso y organización de la Misión Protagonismo de los jóvenes y el rol de los adultos en la Misión Evaluación final del proceso total	Equipo Central
Manual para el Equipo de Jóvenes Misioneros	Capacita al Equipo de Jóvenes Misioneros	Mística de la Misión Protagonismo de los jóvenes y liderazgo compartido Ser misionero joven La Misión en acción	Equipo Central Equipo de Jóvenes Misioneros
Cuaderno de la Misión	Dar instrucciones metodológicas y presentar el proceso para las sesiones bíblicas	Instrucciones metodológicas Proceso total para las cuatro sesiones bíblicas Evaluaciones de las sesiones	Equipo Central Equipo de Jóvenes Misioneros
Diario de la Misión	Escribir la reflexión personal sobre el contenido de la Misión	Reflexiones y contenidos necesarios para cada sesión, desde la perspectiva de los participantes	Equipo Central Equipo de Jóvenes Misioneros Jóvenes participantes

Uso del *Cuaderno* y el *Diario de la Misión*

El *Cuaderno* y el *Diario de la Misión* encarnan la mística general de la Misión Bíblica Juvenil, "La Palabra se hace joven con los jóvenes", y la espiritualidad que nace del acoger la Palabra de Dios, en cada sesión. El *Cuaderno* y el *Diario* se compaginan armoniosamente, estando el primero destinado al Equipo de Jóvenes Misioneros y el segundo, a los jóvenes participantes.

Estas publicaciones ayudan a los formadores y asesores en la preparación del equipo misionero. Llevan de la mano a los evangelizadores y anfitriones, para que profundicen en el mensaje de la Palabra; manejen de forma apropiada los contenidos temáticos; preparen adecuadamente las sesiones, y las conduzcan de manera ágil con un liderazgo compartido.

Cuaderno de la Misión

El *Cuaderno de la Misión* es la guía para que los evangelizadores y anfitriones conduzcan cada una de las cuatro sesiones bíblicas. Contiene los objetivos y mensajes vitales que las orientan; los pasajes bíblicos sobre los que se ora y se reflexiona; el contenido temático relacionado con los mensajes bíblicos, e instrucciones detalladas para la conducción de las actividades. La descripción detallada del *Cuaderno* se encuentra en la "Introducción metodológica al *Cuaderno*".

Diario de la Misión

El *Diario de la Misión* está en relación directa con el *Cuaderno*. Contiene los pasajes de la Sagrada Escritura, oraciones y reflexiones, que utilizarán los participantes en cada sesión. Los apuntes en el *Diario* son personales y privados; sólo podrán tener acceso a ellos, las personas con quienes su dueño/a quiera compartirlos.

El primer contacto de los jóvenes misioneros con las publicaciones de la Misión, es el *Diario,* el cual utilizan al vivirla como participantes, al empezar su capacitación. De este modo, conocen vivencialmente el proceso, experimentan cada actividad y acumulan sabiduría a través de su reflexión, lo que los ayuda en su rol de *evangelizadores* o *anfitriones*. Las indicaciones para manejar el *Diario de la Misión* se encuentran en el *Cuaderno de la Misión*. Están señaladas tanto en el "Plan de sesión", como en el "Proceso de la sesión".

3.3 FORMACIÓN EN LA ACCIÓN DE LOS JÓVENES MISIONEROS

Los jóvenes misioneros se preparan para que "la Palabra se haga joven con los jóvenes", mediante trece actividades, que constituyen un proceso continúo de formación en la acción, el cual se presenta en el siguiente cuadro.

Después existe una sección sobre la espiritualidad del evangelizador/a y del anfitrión/a, seguida de tres decálogos que especifican las habilidades y actitudes necesarias en estos roles, y en rol del asesor, dado que está estrechamente relacionado a los otros dos. Posteriormente se presenta el proceso de discernimiento que harán los jóvenes misioneros para elegir su rol en la Misión.

PROCESO DE FORMACIÓN EN LA ACCIÓN DESDE LA PERSPECTIVA DE LOS JÓVENES	
Pasos	**Formación en la acción**
1. Invitación personal a la Misión	Invitación por miembros del Equipo Central, en nombre de Jesús, a ser misioneros en este proyecto.
2. Convocatoria	Participación en la primera actividad formal de la Misión, donde los jóvenes reciben información sobre ella y el proceso de formación, y se comprometen a ser parte de un Equipo de Jóvenes Misioneros.
3. Vivencia de la Misión	Participación en un retiro de fin de semana o de dos días, para vivir las cuatro sesiones de la Misión y poder facilitarlas a partir de su experiencia.
4. Discernimiento del rol a ejercer	Discernimiento del llamado de Jesús a servir en la Misión como evangelizador/a o anfitrión/a, para asumir libre y conscientemente su compromiso como miembros de un Equipo de Jóvenes Misioneros.
5. Estudio de los materiales	Estudio del *Cuaderno de la Misión* y del *Manual para el Equipo de Jóvenes Misioneros*, antes de la Jornada de Capacitación.
6. Jornada de Capacitación	Participación en un día de capacitación, para recibir formación como jóvenes misioneros, aprender a ejercer sus roles, integrarse en el equipo que les corresponde y organizarse para preparar las sesiones.
7. Preparación de la Misión	• Estudio de cada sesión en el *Cuaderno de la Misión,* para prepararse en el rol a ejercer y organizar los materiales necesarios. • Planificación cómo promover la Misión e invitar a los participantes.
8. Liturgia de Envío	Celebración del lanzamiento de la Misión en una liturgia eucarística.
9. Invitación a los participantes	Invitación a amigos, compañeros del colegio o trabajo, conocidos, vecinos..., jóvenes activos en la Iglesia y quienes están alejados de ella.
10. Facilitación de la Misión	Conducción mediante un liderazgo compartido de las cuatro sesiones de la Misión, según las pautas del *Cuaderno de la Misión* y orientando a los participantes en el uso del *Diario.*
11. Evaluación de las sesiones	• Evaluación de cada sesión, el ejercicio de los roles y la participación de los jóvenes, con el fin de mejorar las siguientes sesiones. • Evaluación general para contribuir a mejorar futuras Misiones.
12. Liturgia de Clausura y convivencia	Organización de la Liturgia de Clausura y la convivencia, según las responsabilidades asignadas por el Equipo Central.
13. Vivencia de la misión en la vida diaria	Invitación a los jóvenes participantes a integrarse a un grupo juvenil ya establecido; apoyo para que formen un grupo nuevo, y/o asesoraría sobre opciones de participación en la vida y la misión de la Iglesia.

Decálogos del evangelizador/a, anfitrión/a y asesor/a

Los siguientes decálogos presentan las cualidades y actitudes necesarias para cumplir con efectividad los roles de evangelizador/a y anfitrión, y la manera como los jóvenes y los asesores deben interactuar para mantener el protagonismo juvenil al tiempo que se enriquecen y mejoran su acción pastoral con la sabiduría y la experiencia del asesor/a. Son decálogos de índole práctico, que asumen la mística y el enfoque teológico-pastoral de la Misión.

DECÁLOGO DEL EVANGELIZADOR/A

1. Invitar a otros jóvenes a la Misión con entusiasmo y convicción.

2. Preparar las sesiones estudiándolas, haciendo oración, y familiarizándose con el contenido a exponer y los procesos a facilitar.

3. Organizar cada sesión, primero en parejas —los dos evangelizadores y los dos anfitriones—; después todos como equipo.

4. Consultar con los asesores y escuchar su consejo.

5. Proclamar la Palabra de Dios con pasión y respeto.

6. Crear un ambiente conducente a la oración personal y comunitaria.

7. Conducir las sesiones de manera ágil, interesante y efectiva, al estar organizados y preparados.

8. Cuidar que la sesión fluya según el horario acordado, mediante un liderazgo compartido eficaz.

9. Formar los grupos pequeños y cuidar que un joven asuma el rol de facilitador/a, secretario/a y cronometrista para asegurar la participación de todos.

10. Hacer la evaluación de cada sesión y entregar la evaluación general al Equipo Central.

MBJ

DECÁLOGO DEL ANFITRIÓN/A

1. Invitar a otros jóvenes a la Misión con entusiasmo y convicción.

2. Preparar las sesiones estudiándolas, haciendo oración, y reuniendo y elaborando todo el material necesario.

3. Organizar cada sesión, primero en parejas —los dos evangelizadores y los dos anfitriones—; después todos como equipo.

4. Consultar con los asesores y escuchar su consejo.

5. Preparar la sede de la Misión como un espacio adecuado para las sesiones.

6. Crear un ambiente de hospitalidad que genere un espíritu de comunidad cristiana.

7. Auxiliar a los evangelizadores y cuidar que la sesión fluya según el horario acordado, mediante un liderazgo compartido eficaz.

8. Invitar a algunos participantes a ayudar en la convivencia de cada sesión y a dejar la sede de la Misión limpia y en orden.

9. Proveer el refrigerio y dar un ambiente de cordialidad a la convivencia.

10. Hacer la evaluación de cada sesión y entregar la evaluación general al Equipo Central.

DECÁLOGO DEL ASESOR/A

1. Fomentar el protagonismo del Equipo de Jóvenes Misioneros, al asumir su rol de asesores.

2. Respetar el liderazgo de los jóvenes misioneros en su rol de coordinadores de las sesiones y facilitadores de los procesos.

3. Cuidar que la preparación de cada actividad en las sesiones, por los evangelizadores y los anfitriones, sea adecuada y completa.

4. Asesorar a los jóvenes misioneros tomando en cuenta su edad y experiencia pastoral.

5. Recomendar ajustes a las actividades en cada sesión, según el tiempo disponible, las características del grupo y las necesidades de los participantes.

6. Apoyar al Equipo de Jóvenes Misioneros para que conduzca las sesiones con un liderazgo compartido y corresponsable.

7. Sugerir y modelar a los evangelizadores sobre cómo realizar su rol, al coordinar las actividades, proclamar la Palabra, y facilitar la reflexión y la oración.

8. Apoyar a los anfitriones para obtener o elaborar los materiales necesarios y tenerlos a tiempo durante las sesiones.

9. Ayudar, en caso necesario, a formar los grupos pequeños en que se trabajarán algunas actividades.

10. Invitar, con entusiasmo y convicción, a otros jóvenes para que participen en la Misión y promover su participación en la Iglesia y en una comunidad o grupo juvenil.

3.4 PREPARACIÓN POR LOS JÓVENES MISIONEROS PARA LA JORNADA DE CAPACITACIÓN

El nivel de calidad con el que se preparen los jóvenes misioneros antes de la Jornada de Capacitación tiene fuertes repercusiones. En un día intensivo de formación se puede hacer mucho, si los participantes se han preparado de antemano.

Los objetivos que necesitan alcanzar en este día intensivo de formación, son:

- Conocer los aportes de la Misión a la Nueva Evangelización.
- Comprender los principales fundamentos teológicos y pastorales de la Misión.
- Valorar su enfoque formativo y metodología evangelizadora.
- Apreciar el liderazgo compartido que caracteriza y hace posible la Misión.
- Reflexionar sobre el desarrollo humano y crecimiento cristiano del joven.
- Revisar el proceso de implementación de la Misión y el liderazgo personal que ejercerán en él.
- Profundizar en su rol como evangelizador/a o anfitrión/a, y organizarse en equipos para las diferentes sedes.
- Solucionar dudas sobre el proceso general de las cuatro sesiones bíblicas, dejando las preguntas concretas para cuando se prepare cada sesión.
- Recibir recomendaciones prácticas para ejercer un liderazgo efectivo.

Preparación previa a la Jornada de Capacitación

Para que los objetivos anteriores se cumplan, es necesario conocer y ver la relación entre este *Manual*, el *Cuaderno de la Misión* y el *Diario de la Misión.* Esto requiere alrededor de 12 horas de estudio.

Es importante considerar que el llamado de Jesús a ser jóvenes misioneros es un honor que implica una responsabilidad seria. Los siguientes dos apartados indican los pasos a seguir al hacer este trabajo.

Estudio de este *Manual*

Para estudiar este Manual, hay dos tipos de instrucciones. En algunas secciones se pide una lectura crítica, subrayando o analizando ideas, pautas o recomendaciones. En otros casos se pide una revisión general, para familiarizarse con el material e identificar aspectos que requieran aclaración. A continuación se presentan los pasos a seguir:

1. Revisar el índice del *Manual* para familiarizarse con él.

2. Leer cada parte o sección, escribir lo que requiere explicación o aclaración:

Parte 1

- Subrayar los conceptos y aportes más importantes y tomar nota de lo que no está claro.

Parte 2

- Revisar las Secciones 2.1 y 2.2, pp. 37-44, para conocer su contenido e identificar posibles preguntas. Relacionar las secciones sobre el Círculo Pastoral y el liderazgo compartido con su experiencia al vivir la Misión.

- Leer la Sección 2.3, pp. 45-50, para reflexionar, centrándose en su propio desarrollo humano y crecimiento cristiano. Responder a las preguntas después de cada etapa, ya que se compartirá esta reflexión en la Jornada de Capacitación.

Parte 3

- Revisar las Secciones 3.1 y 3.2, pp. 51-58, para comprender el proceso total de la Misión y ver la relación entre sus cuatro publicaciones.

- Leer la Sección 3.3, pp. 58-62, para identificar los aspectos en que tienen más experiencia, los que son nuevos y los que pueden representar mayor desafío. Poner especial atención al decálogo que corresponde a su rol y a su relación con los asesores.

- Leer la Sección 3.5, pp. 67-72, para analizarla y marcar cada pauta con uno de los siguientes símbolos:

F = Me será **fácil** seguir esta pauta

E = Me costará **esfuerzo** seguir esta pauta

S = Para seguir esta pauta, necesito **superar** un hábito negativo

A = Esta pauta requiere mi **apoyo** a otros miembros del equipo

- Revisar la Sección 3.6, pp. 73-80, para conocer los roles que pueden ejercer en las Liturgias de Envío y de Clausura. Hay que tener en cuenta que la organización de las liturgias corresponde al Equipo Central.

Estudio del *Cuaderno de la Misión*

El *Cuaderno de la Misión* se conoce en la práctica, es lo que los formadores y asesores estudiaron para facilitar su Vivencia de la Misión. Ahora necesitan familiarizarse con él ya que será su herramienta para preparar las sesiones, organizarse con su equipo misionero y profundizar en los temas de cada sesión.*

Para obtener mayor fruto de la Jornada de Capacitación, se debe conocer de antemano el *Cuaderno* y escribir las dudas que surjan al estudiarlo. Para ello, hay que revisar a fondo, la "Introducción metodológica al *Cuaderno*" y hacer lo siguiente:

1. Seguir las "Instrucciones para estudiar y comprender las sesiones", aplicándolas sólo a la Sesión 1 con el fin de conocer: (a) cómo está estructurada una sesión; (b) cómo se especifican sus partes y actividades, y (c) cómo se organiza el equipo. Así, en la Jornada de Capacitación se podrán aclarar sus dudas y al preparar cada sesión, podrán trabajar a fondo su contenido, proceso y actividades particulares.

2. Leer la "Guía para preparar la conducción de cada sesión". Tomar nota de las dudas que les queden. Esto deberá hacerse antes de facilitar cada sesión.

---

* Las referencias al *Cuaderno* indican sólo el título de la sección o subsección que debe ver el lector. No se mencionan sus páginas porque las secciones pueden cambiar de paginación en los *Cuadernos* de las diferentes Misiones subsecuentes. Para identificar fácilmente estas secciones, conviene revisar el índice del *Cuaderno* con el que se está trabajando.

PLEGARIA DE LOS JÓVENES MISIONEROS
"GUÍANOS Y FORTALÉCENOS CON TU PALABRA"

¡Ven con nosotros, Señor!
Acompáñanos en nuestro esfuerzo misionero.

¡Ven con nosotros, Señor!
Tu Palabra es luz y ardor en nuestra vida.
Nos impulsa a proclamar tu Buena Nueva
y a ser testigos de tu resurrección.

¡Ven con nosotros, Señor!
Tu Palabra es la Verdad misma, la revelación del Padre.
Ilumina nuestra mente con ella,
ayúdanos a sentir la belleza de creer en ti.

¡Ven con nosotros, Señor!
Tu Palabra es vida en abundancia.
Colma con ella a nuestra familia y amigos,
que todos caminemos unidos a ti.

¡Ven con nosotros, Señor!
Tu Palabra es amor, justicia y libertad.
Torna en esperanza la vida de quienes sufren
opresiones, pobreza y soledad.

¡Envíanos, Señor, a tu Espíritu!
Fortalécenos como discípulos y misioneros tuyos.
Recibe nuestro entusiasmo y compromiso,
para hacer joven tu Palabra con los jóvenes.

A María, tu Madre y madre nuestra,
confiamos la Nueva Evangelización,
le encomendamos tu iglesia joven,
peregrina y constructora de cultura y sociedad.

—Basada en el mensaje de Benedicto XVI, en Aparecida

3.5 PAUTAS PARA EL LIDERAZGO DE LOS JÓVENES MISIONEROS

El liderazgo compartido es clave para lograr un ambiente cordial y de confianza con los participantes, así como para el apoyo mutuo entre los miembros del equipo. Las pautas que a continuación se sugieren son de gran utilidad en la facilitación de grupos y, por lo tanto, para conducir las sesiones de esta Misión.

Pautas para invitar a participar en la Misión

1. **Todos son bienvenidos a la Misión.** Invitar a jóvenes con quienes se lleva una relación personal y también a jóvenes en los ambientes inmediatos, grupos religiosos, compañeros de escuela o trabajo... Hay que dejar de lado prejuicios y miedos para acercarnos a alguien, pues Jesús se vale de nosotros para invitarlos a que se nutran con la Palabra de Dios.

2. **Identificar a quiénes se desea invitar.** Se recomienda hacer una lista con el nombre de los jóvenes y grupos que se desea contactar, sea personalmente o a través de otros medios. Conviene asignar quién y por qué medio se invitará a cada uno/a y anotar el seguimiento que se les da. Cada vez que contacten a un/a joven, pídanle sus datos y agréguenlos a la lista, así podrán enviarles mensajes de motivación o anuncios de último momento.

3. **Invitación personal.** La invitación personal es la más efectiva, sobre todo si se hace en un encuentro, una visita o por teléfono, seguida de un correo-e y una invitación o volante personalizado. Se pueden personalizar los recursos para promover la Misión, que están en su sitio web, escribiendo el domicilio de la sede, el horario de las sesiones y datos de las personas a quienes contactar para información o para inscribirse en la Misión.

4. **Utilizar varios medios de comunicación.** Entre los materiales de promoción existen pósters o carteles e invitaciones para promover la Misión en escuelas, parroquias, grupos, o de casa en casa. También se puede anunciarla en la radio, la televisión, el portal de su institución; con un *blog* sobre ella, enviando una liga al sitio web de la Misión.

5. **Invitar compartiendo su propia experiencia.** Muchos jóvenes se motivarán al saber que la Misión es una experiencia vitalizadota y esperanzadora. Sin dar a conocer muchos detalles sobre el proceso y las actividades, explicar brevemente que la Misión ofrece un espacio para el encuentro con el amor liberador de Jesús, un encuentro con la Palabra de Dios de manera amena, reflexiva y cercana a la vida de los jóvenes.

Pautas para evangelizar

1. **Jesús es el único Maestro.** Como discípulos de Jesús, nuestra misión es llevar a otros jóvenes a un encuentro con él. Nuestra tarea es lograr que, a través de diversas actividades, abran su corazón y su mente a lo que Jesús quiere comunicar a cada uno, para aprender de él y disponerse a llevar sus enseñanzas a la práctica.

2. **Testimonio de vida.** Los jóvenes misioneros son enviados por Jesús a sus compañeros, como lo hiciera con los primeros apóstoles (Mt 10, 1-14; Lc 10, 1-7). Ser su colaborador/a de una manera tan especial, implica vivir sus valores en todo momento. Es hacer de la propia existencia un testimonio de la presencia de Jesús en nosotros y en la historia, al manifestar una congruencia entre nuestras palabras, estilo de vida, acciones y opciones, con su evangelio.

3. **Disposición a compartir la fe.** Evangelizar es compartir la experiencia personal del amor de Jesús con otras personas, convirtiendo esta acción en buena noticia para ellos. Al igual que los discípulos de Emaús, los jóvenes misioneros han tenido una relación personal con Jesús. Al vivir la Misión, ese nuevo encuentro con él, profundizó y enriqueció su relación, convirtiendo esa experiencia en fuente privilegiada desde la cual compartir su fe, al facilitar las sesiones como evangelizadores o anfitriones.

4. **Ser capaz de proclamar la Palabra y dirigir reflexiones sobre ella.** Para proclamar la Palabra y dirigir reflexiones que den fruto, es necesario que primero, el evangelizador haya reflexionado, orado y vivido su mensaje. Su experiencia con la Sagrada Escritura le permite compartir su amor por la Palabra de Dios, proclamarla con respeto y solemnidad, e invitar a otros a reflexionar y a orar con ella, para que descubran el mensaje que Jesús les quiere transmitir.

   Proclamar la Palabra de Dios es distinto que leer un texto bíblico. Cuando se proclama la Palabra se hace de pie, frente a la comunidad, habiendo preparado la lectura y leyéndola con buena entonación y con solemnidad. En contraste, leer un texto bíblico puede hacerse individualmente, en silencio, o leyendo en voz alta en un ambiente informal, sentados o de rodillas.

5. **Saber crear un ambiente de oración.** Jesús oraba constantemente. Su mandamiento del amor está precedido de otro imperativo: "Escuchad Israel, el Señor nuestro Dios es el único Señor" (Mc 12, 29). Para recibir el mensaje de Jesús, primero tenemos que centrar nuestra atención en Dios. A sus discípulos les impactaba tanto como oraba Jesús, que le pidieron que los enseñara a orar.

   Los jóvenes misioneros oran personalmente y como equipo, se ponen en presencia de Dios y escuchan su mensaje; piden fuerza y luz ante su misión, así como por los jóvenes a quienes llevarán la buena nueva de Jesús. Esta experiencia los habilita para crear el ambiente propicio e invitar a los jóvenes participantes, a entrar en momentos de oración e intimidad con el Señor.

MBJ

6. **Usar lenguaje de compañeros de jornada con los participantes.** La participación en la Misión ha de ser un momento de gozo y descanso de la rutina diaria; es un recorrer juntos el camino con Jesús. Por eso hay que evitar palabras que suenen a salón de clase, como pasar lista, estudiantes, pórtense bien. Hay que conducir la sesión con espíritu de compañeros que comparten su amor por Jesús y su gozo por la vida; nunca como maestros, dictadores o líderes paternalistas.

7. **Inclusividad siempre que sea posible.** Por tratarse de una Misión evangelizadora, las puertas de las sedes estarán abiertas a nuevos participantes en las tres primeras sesiones o hasta que el cupo lo permita. Los evangelizadores, apoyados por sus asesores, deberán discernir los pros y contras de integrar a los nuevos participantes en los pequeños grupos pequeños ya formados o de formar nuevos grupos sólo con ellos.

8. **Corrección fraterna entre los miembros del equipo.** Si una persona del equipo cometió un error o dijo o hizo algo incorrecto, hay que comentarlo con ella, de manera discreta y apartados del grupo. Si hay algo que requiere ser corregido de inmediato, llamen a su compañero/a en la primera oportunidad y juntos decidan cómo rectificar la situación. No hay que hacer correcciones frente a los participantes, pues el equipo pierde su autoridad moral como joven misionero.

Pautas para facilitar el proceso

1. **Organización previa a la sesión.** Las reuniones de equipo para organizar y preparar cada sesión son de vital importancia, pues un equipo desorganizado genera caos en el grupo. No basta con repartirse las tareas; es importante revisar juntos cada actividad, paso por paso, para afinar detalles.

2. **Respetar el tiempo y espacio de los otros líderes.** Cuando un compañero/a del equipo está facilitando una actividad, no hay que interrumpirlo. Si se le olvidó algo o se confundió, es mejor levantar la mano o hacer otra señal que el equipo haya acordado con anterioridad o recordarle con una pregunta lo que se le olvidó. Por ejemplo: "Alex, ¿te parece bien si primero los organizamos en equipo?" "Claudia, se me ocurre que les expliques primero el concepto…"

3. **Cuidar el buen manejo del tiempo.** Ambos evangelizadores son los responsables principales de llevar con buen ritmo la sesión, uno/a al facilitar los procesos y el otro/a al ser efectivo/a en su labor de cronometrista y como asistente de su compañero. Los anfitriones colaboran teniendo siempre listos los materiales y estando dispuestos a ayudar en lo que sea necesario.

4. **Aprenderse el nombre de los participantes.** Saber el nombre de las personas crea un ambiente de confianza y comunica que son importantes. Se recomienda evitar el uso de apodos, a no ser que les guste. Es válido preguntar de nuevo el nombre: "Repíteme tu nombre para que se me grabe".

5. **Respetar la opinión de los participantes.** Algunos temas o reflexiones podrían causar controversia u opiniones polarizadas en el grupo. Hay que evitar entrar en discusión con los participantes o que se creen polémicas entre ellos. Cuando esto empieza, se recomienda parar la discusión, articulando el objetivo de la actividad: "Entiendo tu punto de vista; sin embargo, en este momento necesitamos…", "Estamos en una Misión evangelizadora y hay que respetar el proceso…, si desean seguir la conversación pueden hacerlo durante la semana."

6. **Es válido decir, "no sé".** Si los participantes preguntan algo que el joven misionero/a no sabe responder, hay que llevar la pregunta, en privado, a los compañeros del equipo, a un asesor/a o a un formador/a. Mientras tanto, la mejor respuesta y la más honesta es: "no sé; lo voy a investigar, continuemos…"

7. **Observar y escuchar las acciones y reacciones de los participantes.** El facilitador/a de una actividad, por lo regular sólo observa las reacciones generales o muy fuertes. Los otros tres miembros del equipo, al no tener la presión de hablar y coordinar el proceso, pueden fijarse en detalles importantes y comentarlos con el facilitador/a, para que los tome en consideración. Por ejemplo:

   - *¿Qué personas participan demasiado y quiénes casi nada?,* para motivar la participación de todos.

   - *¿Qué ideas quedaron incompletas o vagas?,* para completarlas o reforzarlas, sea en esa sesión o en las siguientes.

   - *¿Qué instrucciones o actividades se dificultan?,* para dar una explicación detallada o hacer ajustes en actividades similares o más complicadas.

   - *¿Comentarios valiosos de los participantes?,* para mejorar su desempeño como misioneros.

   - *¿Cuando una persona no participa?,* hay que preguntarle discretamente si el tema o la actividad la hacen sentirse incómoda y ofrecerle una alternativa de participación o la posibilidad de ausentarse temporalmente del grupo.

8. **Captar la atención de un grupo distraído.** Si se ha perdido la atención del grupo o de algunos participantes, se puede deber a que están cansados, no lograron dejar fuera de la Misión las preocupaciones del día, están pensando en otra cosa, etcétera. Para recuperar la atención, se sugiere hacer una pequeña pausa con un ejercicio de estiramiento o un canto, que ayude al grupo a centrarse en él y de ahí, en la actividad del momento. Gritar no es adecuado para obtener la atención.

Pautas para trabajar en grupos pequeños

1. **Motivar la reflexión en parejas y grupos pequeños.** Reflexionar en parejas o en grupos pequeños, permite participar más, conocer a otras personas y compartir ideas, experiencias y sentimientos, a un nivel más profundo. Además es una oportunidad para ejercer un liderazgo compartido y ayuda a realizar las actividades en el tiempo estipulado.

2. **Número de integrantes.** En el *Cuaderno de la Misión* se indica cómo hacer cada reflexión o actividad; a veces se pide que sea en parejas, tríos o cuartetos. En cada una de las cuatro sesiones de la Misión, conviene formar estos grupos al azar, para que los participantes conozcan a distintos jóvenes.

    Para saber cuántos grupos pequeños organizar, hay que identificar el número de asistentes y dividirlo mentalmente; por ejemplo, 30 participantes organizados en tríos, formarán 10 grupos pequeños. Pueden asignar un número a cada participante, según los grupos pequeños que se necesitan, o se les puede dar nombres, letras, colores...

3. **Roles de liderazgo.** Una vez formados los grupos pequeños, cada uno deberá distribuir los siguientes roles entre sus miembros, según lo pide la actividad:

    *   *Facilitador/a de reflexión.* Otorga la palabra y conduce las reflexiones, cuidando que todos participen.

    *   *Facilitador/a de la oración.* Dirige los momentos de oración, comenzando por crear el ambiente adecuado para ella y ofrecerla "En el nombre del Padre, el Hijo y el Espíritu Santo".

    *   *Cronometrista.* Cuida el tiempo asignado a la actividad y avisa al facilitador/a cuando queda poco tiempo.

    *   *Secretario/a.* Toma nota de las conclusiones del grupo, siendo fiel a lo que se dijo. Se prepara para compartirlas de manera clara y concreta, si lo pide el proceso. Si hay tiempo, se recomienda leerlas a sus compañeros para confirmar su fidelidad.

4. **Sesión plenaria.** Cuando a los grupos pequeños se les pide que compartan sus conclusiones en sesión plenaria, hay que cuidar que todos tengan el mismo tiempo para exponer. El evangelizador que sirve como cronometrista debe avisar al secretario/a el tiempo que tiene para compartir y señalarle cuando va a la mitad del tiempo, le quedan sólo 30 segundos y ya le toca al siguiente grupo.

5. **Asignación e intercambio de participantes.** Si hubiera parejas de novios se sugiere darles a elegir si prefieren estar en el mismo grupo pequeño para conocerse mejor o si desean estar en grupos diferentes para tener experiencias distintas que enriquezcan su noviazgo. Si hubiera choques de personalidad entre los participantes, es mejor cambiar de grupo a uno de los jóvenes, para asegurar una experiencia positiva para todos.

Pautas para preparar las sedes de la Misión

Hay que preparar las sedes de la Misión con esmero, para que adquiera la mística conducente para escuchar la Palabra de Dios y compartir la fe. Deberán brindar al participante un ambiente que se preste a la oración y la reflexión, personal y comunitaria. A continuación se mencionan varios detalles que los anfitriones deben tener en cuenta:

1. **Materiales.** Tener todo lo necesario en la *valija de la Misión* y en el *arcón de la sesión*. Preparar los objetos y símbolos para el altar.

2. **Rótulo de bienvenida a la Misión.** Colocar en la fachada o entrada de la sede, un cartel que indique que ahí es la sede de la Misión. Si su localización es difícil, se recomienda dar un mapa a los participantes, antes de la primera sesión.

3. **Organización del espacio.** Considerar el tamaño del salón que servirá de sede. Asegurarse de que hay espacio para sentarse con comodidad y para realizar las actividades de cada sesión. Es mejor sentarse en círculo informal, incluso en el suelo, aunque también puede hacerse alrededor de una mesa.

4. **Preparación del altar.** Colocar una mesa, escritorio, consola o una tabla con una base, para que sirva de altar. Cubrirlo con un mantel, que no quite la atención de los símbolos que se colocarán en él. Poner en el altar la Biblia y la Cruz de la Misión, salvo en la primera sesión en que se entronizarán como parte del proceso. También se colocarán en él, los símbolos correspondientes a cada sesión. Cerciorarse de que haya espacio suficiente para añadir símbolos, según sea el caso.

5. **Diarios de la Misión.** En la primera sesión, llevar una copia del *Diario de la Misión,* por participante. En las siguientes sesiones, llevar el *cofre de la Misión* con los diarios y algunas copias extra, para invitados inesperados.

6. **Refrigerio.** Preparar el refrigerio para la convivencia y tenerlo en un lugar donde no esté disponible durante el proceso. Asegurarse que sea un refrigerio sencillo, que no genere un espíritu de competencia entre las personas que los proveen.

3.6 Guías para las Liturgias de Envío y de Clausura

El ideal es que el lanzamiento de la Misión se haga desde la parroquia, centro de la vida litúrgica de la comunidad eclesial. Si esto no es posible, se recomienda hacerlo en el marco de una Eucaristía dominical, o de una Misa especial para señalar el comienzo de la Misión y realizar el rito de envío de los jóvenes misioneros. Desde luego, también es posible celebrar el envío de los jóvenes misioneros y la clausura de la Misión en una liturgia de la Palabra.

Durante la Liturgia de Envío, los jóvenes misioneros reciben la bendición del Señor para llevar a cabo la Misión. Al terminar las cuatro sesiones, todos los jóvenes —misioneros y participantes— vuelven a celebrar el misterio de la fe para compartir con la comunidad la alegría del término de la Misión, y ser enviados a irradiar la luz de Cristo en su ambiente. En ambas ocasiones, la comunidad presente funge como testigo y se une en oración con los jóvenes.

La Misión se puede implementar en cualquier momento del año litúrgico. A continuación se ofrecen algunas indicaciones y aportes para que las Liturgias de Envío y de Clausura, adquieran la mística de la Misión. También se presentan las oraciones para la bendición de las Biblias y Cruces de la Misión, y de las cruces pequeñas para los jóvenes misioneros.

Como se privilegia la Eucaristía para iniciar y clausurar la Misión, las pautas fueron escritas para la Misa. Primero se presentan las pautas generales para las dos Eucaristías; después se ofrecen las pautas y oraciones propias de la Liturgia de Envío y de la Liturgia de Clausura: (a) oración de los fieles; (b) ofertorio, y (c) rito de envío. Todas ellas pueden ser fácilmente adaptadas a una liturgia de la Palabra.

Guía común para las dos Liturgias

El domingo es el día por excelencia de la asamblea litúrgica, en que los cristianos nos reunimos para vivir el misterio pascual, enriquecernos con la Palabra de Dios y participar en la Eucaristía. En ella fortalecemos nuestros lazos de comunión en Cristo Jesús, alimentamos nuestra vida espiritual y renovamos nuestro compromiso como discípulos y apóstoles suyos.

La liturgia de la Palabra será la que corresponda al domingo en que se celebre el envío y la clausura. La homilía y los ritos propios de la Misión son los que encarnan este esfuerzo evangelizador de la juventud, en la Eucaristía dominical.

Se recomienda que los jóvenes misioneros sirvan en los ministerios de la Misa, según sea propio: en el comité de bienvenida y como ujieres; como lectores y ministros de Eucaristía, donde sea costumbre; pasando la canasta de la colecta y llevando las ofrendas al altar; haciendo las peticiones y leyendo las moniciones (introducciones y explicaciones) antes de ciertas partes de la Misa; sirviendo como músicos y en el coro. Todos deberán prepararse previamente y llegar con anticipación para organizarse.

Moniciones y cantos

Se sugiere acompañar las lecturas, el salmo y el evangelio con una monición, que prepare a la asamblea para escuchar con atención su mensaje central. La serie Diálogos Semanales con Jesús, publicada por Editorial Verbo Divino y el Instituto Fe y Vida, puede servir de inspiración para que las moniciones concuerden con las lecturas propias del domingo.

Los cantos y la música son parte integral de la acción litúrgica. Se sugiere entonar "Vívela", la canción lema de *La Biblia Católica para Jóvenes,* durante el ofertorio o la comunión, y cantar "Jesús te llamó", la canción lema de la Primera Misión, al terminar la Misa y durante la salida de los jóvenes misioneros. Si la parroquia o el lugar en donde se celebra la Eucaristía lo permite, estos cantos se pueden acompañar con sus videoclips, los cuales pueden ser descargados del sitio web.

Homilía

La homilía es un momento clave para motivar a la comunidad a hacer vida la Palabra de Dios. El sacerdote habrá de relacionar las lecturas, sobre todo, el evangelio, con la misión evangelizadora de la juventud y señalar la importancia de que "la Palabra se haga joven con los jóvenes". También es momento propicio para motivar a los jóvenes presentes a participar en la Misión y a que la comunidad adulta la promueva y la apoye con su oración y su acción.

Es aconsejable que, con anterioridad, el sacerdote se reúna con los jóvenes misioneros para reflexionar sobre las lecturas del domingo y juntos, extraer de ellas mensajes adecuados para la comunidad juvenil, tanto para la Liturgia de Envío como para la de Clausura. La serie Diálogos Semanales con Jesús, puede servir de recurso, dado que ofrece reflexiones sobre la Palabra de Dios de cada domingo, encarnadas en la realidad de la juventud.

Oración de los fieles

Se sugiere hacer las peticiones que están en las secciones propias de las Eucaristías de Envío y de Clausura. Si se utilizan las que vienen en el misal o las que prepara la parroquia semanalmente, habrá que incluir peticiones por los jóvenes misioneros y participantes. Si desean redactar las peticiones, siguiendo la plegaria universal, se recomienda insertar la realidad juvenil en ellas. A continuación se ofrecen unos ejemplos:

Invitatorio: El sacerdote invita a la comunidad a orar.

Intenciones:

Por las necesidades de la Iglesia, en particular de la iglesia joven:

- Por los jóvenes que llamas a servirte en la evangelización de sus compañeros, para que respondan a tu invitación. *Escucha nuestra oración.*

- Por los jóvenes que fueron descuidados en la formación de su fe, para que encuentren a Jesús vivo y su amor liberador. *Escucha nuestra oración.*

Por los gobernantes y por la salvación del mundo entero, en particular en lo que respecta a la juventud:

- Por quienes dictan leyes relativas a la educación, para que la guíen con los valores de Jesús. *Escucha nuestra oración.*

Por aquéllos que sufren cualquier dificultad:

- Por los jóvenes que han caído en el alcoholismo o la drogadicción, para que encuentren quien los ayude a salir de esa situación y tengan la fuerza de voluntad que da tu Espíritu. *Escucha nuestra oración.*

Por la comunidad local:

- Por los jóvenes de esta comunidad de fe, para que sean testigos de Jesús en todas las circunstancias de su vida. *Escucha nuestra oración.*

Conclusión: Oración final

Guía para la Eucaristía de Envío

La Eucaristía de Envío marca el inicio de la acción evangelizadora de los equipos de jóvenes misioneros. Los revitaliza para invitar a otros jóvenes a la Misión y compartir con ellos su experiencia de Jesús y los mensajes que han vivido en su etapa de preparación. A continuación se especifican las oraciones y ritos para esta liturgia:

Oración de los fieles

Sacerdote: Elevemos, hermanos, nuestra oración al Padre para que, llenos de su Espíritu, seamos sus testigos alegres y respondamos generosamente a su llamado a través de la Misión Bíblica Juvenil, que hoy comienza en (nombre de la localidad).

Lector/a: Fortalece, Padre, nuestra Iglesia, por la acción del Espíritu, para que sea reflejo y testimonio de Cristo en el mundo. *Escucha nuestra oración.*

Lector/a: Padre, danos la luz de tu Espíritu para que descubramos a Jesús en los jóvenes que vendrán a la Misión y aquéllos con quienes convivimos. *Escucha nuestra oración.*

Lector/a: Concédenos Padre, por tu Hijo Jesucristo quien vive en medio de nosotros y en toda tu Iglesia, vivir intensamente su misterio pascual, para fortalecernos con su fuerza evangelizadora. *Escucha nuestra oración.*

Lector/a: Que los jóvenes misioneros sean capaces de llevar a sus hermanos el amor infinito de Jesús y su buena nueva de salvación. *Escucha nuestra oración.*

Lector/a: Concede a los jóvenes que participen en la Misión, la alegría de saberse amados por ti; bendícelos con tu Espíritu, y ábreles el corazón para recibir tu Palabra. *Escucha nuestra oración.*

Lector/a: Ayúdanos, Padre, para que, a ejemplo de María, nuestra madre, todos los participantes en la Misión, abran su corazón al Espíritu Santo y vivan su fe con verdad y sencillez. *Escucha nuestra oración.*

Lector/a: Que la experiencia de la Misión Bíblica Juvenil, dé sentido a la vida en la comunidad joven y le permita caminar en amistad con Jesús. *Escucha nuestra oración.*

Lector/a: Te pedimos, Padre, por todos nosotros, para que con la fuerza del Espíritu seamos capaces de encarnar el evangelio de Jesús en nuestra vida y así transformar la realidad que nos rodea. *Escucha nuestra oración.*

Sacerdote: Te pedimos, Padre, que nos ilumines y fortalécenos para que sepamos ser dignos discípulos y apóstoles de Jesús. Por Jesucristo, nuestro Señor. *Amén.*

Ofertorio

Junto con el pan y el vino, se ofrecerán la Biblia y la Cruz de la Misión, que se entronizarán en cada sede, así como las cruces para los jóvenes misioneros. Mientras las ofrendas son llevadas en procesión al altar, se hace la siguiente lectura:

Jesús, como el trigo y las uvas, deseamos ser transformados en tus manos para que nuestra vida y acciones durante la Misión, den testimonio de ti y que seamos instrumentos de tu vida para otros jóvenes. Sabemos que contamos con los dones que tú nos has dado y confiamos en el poder de tu amor, que sólo mira nuestros deseos de servirte y no nuestras debilidades.

Transfórmanos en pan de vida y alegría. Que todos los jóvenes que vivan la Misión compartan tu amor y tu Palabra unos con otros y con todas las personas con quienes conviven.

Rito de Envío

- Al terminar la comunión, el sacerdote pide que los jóvenes misioneros se acerquen al altar y se reúnan por equipos.

- Los miembros del Equipo Central presentan al sacerdote las Biblias y las Cruces para las sedes de la Misión.

- El sacerdote bendice estos símbolos, para que el Espíritu Santo los convierta en signos de su presencia activa durante la Misión, y entrega una Biblia y una Cruz a cada equipo misionero.

- Los jóvenes misioneros y la comunidad de fe, hacen de manera solemne la Oración de la Misión que está al final de esta sección.

- El sacerdote bendice las cruces para los jóvenes misioneros y las entrega al Equipo Central, para que las coloque al cuello de cada joven, diciéndole: "Recibe este símbolo del llamado que te hizo Jesús a ser joven misionero/a".

- El/la joven responde: "Recibo esta cruz como signo de mi compromiso a ser discípulo/a fiel de Jesús y su profeta durante esta Misión".

- Cuando todos los jóvenes han recibido su cruz, regresan a sus lugares.

- El sacerdote concluye la celebración y envía a los jóvenes misioneros a realizar su labor.

- Los jóvenes misioneros salen del templo en procesión con la Biblia y la Cruz de las sedes de la Misión en alto, y sus cruces personales al cuello.

Guía para la Eucaristía de Clausura

La Eucaristía de Clausura da por terminada la Misión, en la que los jóvenes crecieron en fe, afirmaron su vocación cristiana y su misión de ser luz del mundo. En esta Eucaristía, el sacerdote envía a todos los jóvenes —misioneros y participantes— a realizar su misión evangelizadora en la vida diaria, y los motiva a participar en la comunidad de fe y a celebrar con alegría los dones recibidos durante la Misión.

Como signo de la nueva vida adquirida en la Misión, algunos jóvenes participantes servirán en la liturgia: llevando las ofrendas, haciendo la oración durante la procesión, leyendo las peticiones durante la oración de los fieles. El Equipo Central asignará estos servicios a las sedes de la Misión, y los Equipos de Jóvenes Misioneros serán responsables de identificar a los jóvenes participantes que los ejerzan.

Oración de los fieles

Sacerdote: Elevemos nuestra oración al Padre para que, llenos de su Espíritu, seamos sus testigos alegres y compartamos su mensaje de salvación como fruto de esta Misión Bíblica Juvenil, que concluye hoy en (nombre de la localidad).

Lector/a: Fortalece, Padre, nuestra Iglesia por la acción del Espíritu, para que sea reflejo y testimonio de Cristo en el mundo. *Escucha nuestra oración.*

Lector/a: Padre, tú eres desde siempre amor compartido; concédenos descubrir a Jesús en las personas que salen a nuestro encuentro, y compartir con ellas tu amor. *Escucha nuestra oración.*

Lector/a: Concédenos, Padre, por tu Hijo Jesucristo, quien vive en medio de nosotros y en toda tu Iglesia, vivir intensamente su misterio pascual, para fortalecernos con su fuerza evangelizadora. *Escucha nuestra oración.*

Lector/a: Que los jóvenes misioneros continúen en el servicio al prójimo, con un deseo constante de llevarle a Jesús y su buena nueva como expresión de su amor infinito. *Escucha nuestra oración.*

Lector/a: Concede a los jóvenes participantes en la Misión que permanezcan en la alegría de saberse amados por ti, bendícelos con tu Espíritu, y ábreles el corazón, para atesorar tu Palabra. *Escucha nuestra oración.*

Lector/a: Que los frutos de la Misión Bíblica Juvenil den sentido a la vida de nuestra comunidad joven y le permitan permanecer en amistad con Jesús. *Escucha nuestra oración.*

Lector/a: Ayúdanos, Padre, para que, a ejemplo de María, nuestra madre, todos los jóvenes tengan siempre su corazón abierto al Espíritu Santo y vivan su fe con verdad y sencillez. *Escucha nuestra oración.*

Lector/a: Te pedimos, Padre, por todos nosotros, para que con la fuerza del Espíritu seamos capaces de encarnar el evangelio de Jesús en nuestra vida y así transformar la realidad que nos rodea. *Escucha nuestra oración.*

Sacerdote: Te pedimos, Padre, que nos ilumines y fortalezcas para que sepamos ser dignos discípulos y apóstoles tuyos. Por Jesucristo nuestro Señor. *Amén.*

Ofertorio

Junto con el pan y el vino, llevar los cofres con los Diarios, como símbolo de la vivencia de los participantes en la Misión y su deseo de seguir viviendo como discípulos de Jesús. Mientras las ofrendas son llevadas en procesión al altar, hacer la siguiente oración:

Jesús, como el trigo y las uvas, deseamos seguir siendo transformados en tus manos, para que nuestra presencia y acciones, sean fuente de vida para las personas con quienes convivimos. En la Misión reforzamos nuestra fe en ti, fortalecimos nuestra confianza en nosotros como hijos e hijas de Dios, descubrimos más claramente nuestra vocación cristiana e hicimos varios propósitos para ser mejores discípulos tuyos.

Te presentamos los *Diarios de la Misión,* como signo de nuestra esperanza y nuestro amor hacia ti y hacia nuestros hermanos. Te los ofrecemos junto con el pan y el vino, para que con nuestro testimonio de palabra y obra, "tu Palabra se haga joven con los jóvenes".

Rito de Envío

- Al terminar la comunión, el sacerdote pide que los Equipos de Jóvenes Misioneros se distribuyan alrededor de la Iglesia, y que pase un representante de cada equipo al altar.

- Un miembro del Equipo Central pasa al frente, invita a los jóvenes participantes en la Misión a ponerse de pie y hacer la "Oración de compromiso" en su corazón, conforme la escuchan. La oración está en la p. 80.

- El sacerdote hace lo siguiente:

  o Bendice los cofres con los *Diarios de la Misión,* para que la riqueza espiritual que adquirieron en ella, perdure y dé frutos en abundancia.

  o Entrega a los representantes de cada sede, su respectivo cofre; ellos regresan a donde está su equipo.

  o Instruye a los jóvenes participantes para que vayan a recoger su *Diario,* regresen a su lugar y permanezcan de pie.

- Cuando todos los jóvenes estén en su lugar, un miembro del Equipo Central los invita a inclinar la cabeza y a la comunidad a que extienda sus manos para bendecirlos. Dice:

  > Bendice, Padre bueno, con tu amor y la fuerza de tu Espíritu, a estos jóvenes a quienes has enriquecido con tu Palabra, para que cada día sean mejores seguidores de Jesús y constructores de tu Reino. Te lo pedimos por Cristo, nuestro Señor, en compañía de María, madre nuestra y compañera de jornada.

- Los jóvenes responden "Amén. Así sea. Hágase en mí según tu Palabra".

- El sacerdote concluye la celebración con la oración final. Al dar la bendición, envía a todos los jóvenes a continuar viviendo la Misión en la vida diaria, haciendo que "la Palabra se haga joven con los jóvenes".

Oración de compromiso
"Queremos llevar tu Palabra"

Gracias te damos, Jesús,
por el gran encuentro con tu Palabra.

La escuchamos desde el corazón
y penetró en todo nuestro ser.
Hemos visto, oído y vivido
cómo la Palabra se hace joven con los jóvenes.

Ahora, cada uno de nosotros te conoce mejor:
tú eres nuestro maestro.
Tu Palabra tiene el poder de transformarnos
y ayudarnos a madurar como cristianos.

Hoy nos sentimos llamados por ti,
a llevar tu Palabra a nuestro ambiente:
a nuestra familia, la escuela, el trabajo, a nuestros amigos...
para que adquieran vida nueva.

Queremos que, a través de nosotros,
las personas a nuestro alrededor,
vean, escuchen y vivan
que tu Palabra se hace joven con los jóvenes.

Bendícenos y ayúdanos a lograrlo,
en el nombre del Padre, del Hijo y del Espíritu Santo.

Amén.

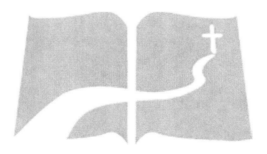

3.7 EVALUACIÓN DE LA MISIÓN

La evaluación, como se indicó al describir el Círculo Pastoral, es un paso integral de la acción pastoral. Da la oportunidad de revisar las acciones realizadas y de visualizar los cambios que hay que hacer en el futuro. Estas evaluaciones pueden hacerse de diversas formas; algunas veces son muy puntuales, otras son reflexiones profundas sobre la acción.

Casi siempre se requieren dos modalidades de evaluación: *personal* y *comunitaria,* sobre las que se comenta a continuación. También es posible ver la evaluación desde una perspectiva del crecimiento personal y como instrumento para mejorar la acción pastoral, de lo que se habla brevemente después.

Evaluar para el crecimiento personal y para mejorar la acción pastoral

La evaluación personal es un paso muy importante para realizar una buena evaluación comunitaria; permite realizar primero una reflexión individual sobre la acción pastoral, con base en la propia experiencia y utilizando los dones y habilidades de cada miembro en un equipo pastoral. La evaluación comunitaria es necesaria para tener una visión más amplia que la individual; contar con la riqueza de varias perspectivas, y para que la comunidad tome conciencia de cómo se entrelazan y afectan mutuamente las acciones personales de quienes ejercen un liderazgo conjunto.

Además, esta doble evaluación permite conocer mejor la realidad en la que se trabaja. Ayuda a conocer mejor la población a la que está dirigida la acción pastoral; a tomar mayor conciencia de los frutos obtenidos y los desafíos enfrentados, y a identificar nuevas oportunidades para seguir trabajando por el reino de Dios, como discípulos misioneros en la viña del Señor.

Evaluar nuestras acciones, desde la perspectiva de Jesús y sus enseñanzas, siempre es motivo de crecimiento. Cuando esto se hace en la vida diaria, generalmente toma la forma de una revisión de vida; cuando se hace sobre una acción pastoral, es importante analizar nuestras intenciones y efectividad al realizarla. La combinación de ambos enfoques ayuda a crecer como personas; a desarrollar nuestra espiritualidad cristiana y a mejorar nuestra acción pastoral.

Evaluación de la Misión por los jóvenes misioneros

En el proyecto de la Misión Bíblica Juvenil, hay cuatro ocasiones en que los jóvenes misioneros realizan procesos de evaluación a nivel personal y/o comunitario:

- En su Vivencia de la Misión realizan una reflexión de evaluación sobre los frutos de cada sesión bíblica, los cuales quedan ilustrados en símbolos y palabras clave que se dibujan en su cruz personal de la Misión. Al vivir la Misión, este momento les permite captar con símbolos y palabras clave los frutos principales en cada sesión.

- La revisión de su diario personal cuando están estudiando el *Cuaderno de la Misión,* les permite reflexionar sobre su experiencia en las cuatro sesiones bíblicas y evaluar en qué grado se realizaron en su persona los objetivos de la sesión y si los mensajes vitales llegaron a su corazón. Esta evaluación les servirá mucho en el ejercicio de su rol como evangelizador/a o anfitrión/a.

- Después de conducir cada sesión bíblica harán una evaluación formal, que incluye una dimensión personal y otra comunitaria. Ellas los ayudarán a mejorar su acción pastoral en las siguientes sesiones y en otras actividades similares que emprendan a futuro.

- Al terminar el proyecto de la Misión, se hará una reflexión sobre la acción pastoral realizada a lo largo de sus distintas etapas. En esta ocasión tendrán oportunidad de revisar, además de su acción pastoral como jóvenes misioneros, su participación en los procesos formativos y el trabajo de pastoral de conjunto con el Equipo Central. De esta manera adquirirán una perspectiva más amplia sobre la Misión, con sus frutos, desafíos y nuevas oportunidades pastorales que se generaron a partir de ella, lo que a su vez es fuente de crecimiento personal y fundamento muy valioso para mejorar su acción pastoral individual y comunitaria.

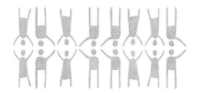

Canción lema de la Primera Misión
LA PALABRA SE HACE JOVEN CON LOS JÓVENES

Martín Valverde

Él es la puerta, atrévete a entrar.
Dale un por qué a tu vida;
él es el buen pastor que se nos da
y conoce a sus ovejas.

Para aquéllos que buscan vivir
y alcanzar sus sueños,
la luz que brilla y llama al corazón
la voz del Buen Pastor.

Él es el pan de vida, cómelo;
nunca más tendrás hambre.
Verdadero pan que nos da Dios
y da la vida al mundo.

Da tu paso, atrévete a creer,
para que tengas vida.
Escucha hoy la voz de tu pastor
llamándote a vivir.

Jesús te llama para llevar
su palabra a todas partes.
Él te eligió, te hace apóstol,
renueva tu juventud.

Te está invitando para llevar
la buena nueva de su amor.
Oye su voz, que la Palabra
se hace joven contigo.

Cristo es el camino, es la verdad,
y solo él da vida.
La verdadera vid, unido a él
tu juventud da fruto.

La resurrección, aquél que crea en él
aunque muera vivirá.
Camina junto a él,
la verdad descubre y vive ya.

Llevan en su pecho un nuevo ardor:
amor de Dios que llama.
Portadores de la buena nueva
van compartiendo vida.

Son profetas que Dios levantó
y llevan su Palabra.
Son testigos desde el corazón
y ésta es su canción.

Coro

Él me llamó, hoy llevo
su Palabra a todas partes.
Él me eligió, me hizo apóstol,
renovó mi juventud.

Él me invitó, hoy llevo
la buena noticia de Jesús.
Oigo su voz y su Palabra
se hace joven conmigo.

Él nos llamó, llevamos
su Palabra a todas partes.
Nos eligió, nos hizo apóstoles
renovó la juventud.

Nos invitó, llevamos
la buena noticia de Jesús.
Él nos habló y su Palabra
es vida de la juventud.

Citas y referencias bibliográficas

[1] Consejo Episcopal Latinoamericano (CELAM), V Conferencia General del Espiscopado Latinoamericano y del Caribe, *Aparecida: Documento Conclusivo,* Editorial Progreso, México, 2007, no. 443.

[2] Juan Pablo II, *Exhortación apostólica Ecclesia in America,* Editorial Basilio Nuñez, México, 1999.

[3] Sínodo de los Obispos, XII Asamblea General Ordinaria, *La Palabra de Dios en la vida y en la misión de la Iglesia: Lineamenta,* www.vatican.va, 2007, no. 4.

[4] CELAM, *Aparecida, op.cit.,* no. 349.

[5] National Catholic Network de Pastoral Juvenil Hispana – La Red, *Conclusiones, Primer Encuentro Nacional de Pastoral Juvenil Hispana,* EUA, 2006, pp. 47-52.

[6] United States Catholic Conference of Bishops, *Renovemos la visión: Un marco para la pastoral juvenil,* USCCB Publishing, EUA, 1997, pp. 9-11.

[7] Instituto Fe y Vida, *Programa de capacitación para la Pastoral Bíblica Juvenil,* Stockton, California, EUA, 2008.

[8] *La Biblia Católica para Jóvenes,* Instituto Fe y Vida, EUA, y Editorial Verbo Divino, España, 2005.

[9] CELAM, IV Conferencia General del Episcopado Latinoamericano, *Santo Domingo: Nueva evangelización, promoción humana, cultura cristiana,* Editorial Progreso, México, 1992.

[10] Pablo VI, *Evangelii nuntiandi,* Editorial Progreso, México, 1975, no. 19.

[11] *Ibid.,* no. 15.

[12] Juan Pablo II, *Ecclesia in America: Sobre el encuentro con Jesucristo vivo, camino para la conversión, la comunión y la solidaridad en América,* USCCB, Washington DC, 1999, no. 47.

[13] *La Biblia Católica para Jóvenes, op.cit.,* p. 1434.

[14] CELAM, *Aparecida, op.cit.,* no. 349.

[15] *Concilio Vaticano II: Constituciones, decretos y declaraciones, Ad gentes: sobre la actividad misionera de la Iglesia,* Biblioteca de Autores Cristianos (BAC), Madrid, 1965, no 2.

[16] Juan Pablo II, *Christifideles laici: sobre vocación y misión de los laicos en la Iglesia y en el mundo,* Editorial Progreso, México, 1988.

[17] *Ecclesia in America, op.cit.,* no. 47.

[18] CELAM, III Conferencia General del Episcopado Latinoamericano, *Puebla: La evangelización en el presente y futuro de América Latina,* Editorial San Pablo, Colombia, 1979, no. 1186.

[19] Juan Pablo II, *Redemptoris Missio,* Ediciones Paulinas, México, 1991, no. 2.

[20] CELAM / CEMPAJ, *Civilización del Amor: Tarea y Esperanza,* Comisión Episcopal Mexicana de Pastoral Juvenil, México, 1995.

[21] La Red, *Conclusiones, op.cit.,* p. 32.

[22] *Ibid.,* pp. 19-24; 46-86.

[23] CELAM, V Conferencia General, *Aparecida, op. cit.*

[24] Benedicto XVI, *Congreso Internacional en el XL aniversario de la constitución conciliar Dei Verbum*, www.vatican.va, 2005, párrafo 8.

[25] Sínodo de los Obispos, *op.cit.,* www.vatican.va, no. 4.

[26] *Ibid,* no. 2.

[27] Benedicto XVI, *XXI Jornada Mundial de la Juventud*, www.vatican.va, 2006.

[28] Benedicto XVI, *XXIII Jornada Mundial de la Juventud,* www.vatican.va, 2008.

[29] Juan Pablo II, *Redemptoris Missio, op.cit.*, no. 52.

[30] *Concilio Vaticano II, Apostilicam actuositatem, sobre el apostolado de los seglares,* Biblioteca de Autores Cristianos (BAC), Madrid, 1965, no 12.

[31] CELAM, III Conferencia, *Puebla, op.cit.,* no. 1184.

[32] Benedicto XVI, Mensaje para la XXV Jornada Mundial de la Juventud, www.vatican.va, 2010, no. 1.

[33] *Curso de certificación para líderes juveniles y asesores en la pastoral juvenil hispana,* Instituto Fe y Vida, Curso 3, Stockton, EUA, 1999.

Breinigsville, PA USA
11 November 2010
249186BV00004B/4/P

9 780980 029345